Françoise Sagan, de son vrai nom Françoise Quoirez, est née à Cajarc, dans le Lot. Sa carrière de femme de Lettres commence en 1954 avec la publication de *Bonjour tristesse*. Ce roman, en abordant explicitement la sexualité féminine avec un style désinvolte et mordant, provoque un véritable scandale. Récompensé la même année par le prix des Critiques, il devient l'emblème de toute la génération d'après-guerre et propulse son auteur au devant de la scène littéraire.

Son œuvre compte aujourd'hui une trentaine de romans parmi lesquels *Aimez-vous Brahms...*, publié en 1959 et porté à l'écran en 1963 par Anatole Litvak, *Les merveilleux nuages* (1973), *Un orage immobile* (1983), *Les faux-fuyants* (1991) ou encore *Le miroir égaré* (1996).

Nouvelliste et auteur de théâtre, Françoise Sagan a écrit une dizaine de pièces et une biographie de Sarah Bernhardt publiée en 1987. Ce grand personnage de la scène culturelle française a également écrit le scénario du *Landru* de Claude Chabrol.

Passionnée de sport automobile, l'auteur de *Bonjour tristesse* a résidé de nombreuses années à Honfleur. En 1985, elle a reçu pour l'ensemble de son œuvre, le dix-neuvième prix de la Fondation du prince Pierre de Monaco.

Françoise Sagan s'est éteinte le 24 septembre 2004 à l'âge de 69 ans.

DANS UN MOIS, DANS UN AN

DU MÊME AUTEUR
CHEZ POCKET

BONJOUR TRISTESSE
UN CERTAIN SOURIRE
DANS UN MOIS, DANS UN AN
AIMEZ-VOUS BRAHMS…
LES MERVEILLEUX NUAGES
LA CHAMADE
LE GARDE DU CŒUR
LA LAISSE
LES FAUX-FUYANTS
UN CHAGRIN DE PASSAGE
DERRIÈRE L'ÉPAULE

FRANÇOISE SAGAN

DANS UN MOIS, DANS UN AN

JULLIARD

Pocket, une marque d'Univers Poche,
est un éditeur qui s'engage pour la
préservation de son environnement et
qui utilise du papier fabriqué à partir
de bois provenant de forêts gérées de
manière responsable.

ISBN 978-2-266-19000-8

À Guy Schoeller

Il ne faut pas commencer
à penser de cette manière,
c'est à devenir fou.

MACBETH, *acte II.*

1

BERNARD entra dans le café, hésita un instant sous les regards de quelques consommateurs défigurés par le néon et se rejeta vers la caissière. Il aimait les caissières de bars, opulentes, dignes, perdues dans un rêve ponctué de monnaie et d'allumettes. Elle lui tendit son jeton sans sourire, l'air las. Il était près de quatre heures du matin. La cabine téléphonique était sale, le récepteur moite. Il forma le numéro de Josée et s'aperçut que sa marche forcée à travers Paris toute la nuit ne l'avait mené qu'à cela : au moment où il serait assez fatigué pour effectuer ces gestes machinalement. Il était d'ailleurs stupide de téléphoner à une jeune fille à quatre heures du matin. Bien sûr, elle ne ferait aucune allusion à sa grossièreté mais ce geste avait un côté

« enfant terrible » qu'il détestait. Il ne l'aimait pas, c'était bien là le pire, mais il voulait savoir ce qu'elle faisait, et toute la journée cette pensée l'obsédait.

Le téléphone sonnait. Il s'appuya au mur, glissa sa main dans sa poche pour attraper son paquet de cigarettes. La sonnerie s'arrêta et une voix d'homme endormie, dit : « Allô. » Puis aussitôt la voix de Josée : « Qui est-ce ? »

Bernard resta immobile, terrifié, craignant qu'elle ne devinât que c'était lui, craignant d'être surpris à la surprendre. Ce fut un instant affreux. Puis il tira son paquet de sa poche et raccrocha. Il se retrouva marchant sur les quais, murmurant des grossièretés. Une seconde voix en même temps le calmait, qu'il détestait : « Mais après tout, elle ne te doit rien. Tu ne lui as rien demandé, elle est riche, libre, tu n'es pas son amant en titre. » Mais déjà il devinait en lui ce flot de tourments, d'inquiétudes, ces impulsions vers le téléphone, cette obsession qui allait être le plus clair de ses jours à venir. Il avait joué au jeune homme, parlé avec Josée de la vie, des livres, passé une nuit avec elle, tout ça sur un mode distrait, de bon goût et il faut dire que l'appartement de Josée s'y prêtait. Maintenant il allait rentrer chez lui, trouver son mauvais roman en désordre sur sa table de travail et, dans son lit, sa femme qui dormirait. Elle dormait toujours à ces heures-là, son visage enfantin et blond tourné du côté de la porte comme si elle craignait qu'il ne rentrât jamais, l'attendant dans son sommeil comme elle l'attendait tout le jour, anxieusement.

Le garçon reposa le récepteur et Josée domina le mouvement de colère qu'elle avait eu en le voyant décrocher son téléphone et répondre comme s'il était chez lui.

« Je ne sais pas qui c'est, dit-il maussadement, il a raccroché.

— Pourquoi « il », alors ? demanda Josée.

— C'est toujours les hommes qui téléphonent la nuit chez les femmes, dit le garçon en bâillant. Et qui raccrochent. »

Elle le regarda avec curiosité, en se demandant ce qu'il faisait là. Elle ne comprenait pas pourquoi elle l'avait laissé la raccompagner après le dîner chez Alain, ni monter chez elle ensuite. Il était assez beau mais vulgaire et sans intérêt. Beaucoup moins intelligent que Bernard, moins séduisant même, d'une certaine manière. Il s'assit sur le lit et attrapa sa montre :

« Quatre heures, dit-il. C'est une sale heure.

— Pourquoi une sale heure ? »

Il ne répondit pas mais se retourna vers elle et la regarda par-dessus son épaule, fixement. Elle lui rendit son regard puis essaya de remonter son drap sur elle. Mais son geste s'arrêta. Elle comprenait ce qu'il pensait. Il l'avait ramenée chez elle, l'avait prise brutalement et s'était endormi à son côté. Il la regardait avec tranquillité. Il se souciait peu de ce qu'elle était et de ce qu'elle pensait de lui. En cet instant précis, elle était à lui. Et ce qui montait en elle, ce n'était ni de l'agacement devant cette assurance, ni de la colère, mais une immense humilité.

Il leva les yeux jusqu'à son visage et lui ordonna d'une voix grave de rabattre ce drap. Elle l'enleva et il la détailla posément. Elle avait honte et ne pouvait bouger ni trouver la phrase désinvolte qu'elle aurait dite, en se retournant sur le ventre, à Bernard ou à un autre. Il n'aurait pas compris, pas ri. Dans son esprit, elle le devinait, il y avait une idée d'elle achevée, immuable, primaire et qu'il ne changerait jamais. Son cœur battait à grands coups, elle pensa : « Je suis perdue », avec un sentiment de triomphe. Le garçon se pencha vers elle, un sourire mystérieux sur les lèvres. Elle le regarda s'approcher sans ciller.

« Il faut bien que le téléphone serve à quelque chose », dit-il, et il se laissa tomber sur elle, brusquement hâtif. Elle ferma les yeux.

« Je ne pourrai plus en plaisanter, pensa-t-elle, ce ne sera plus jamais une chose légère et nocturne, ce sera toujours lié à ce regard, quelque chose qu'il y avait dans ce regard. »

« Tu ne dors pas ? »

Fanny Maligrasse poussa un gémissement :

« C'est mon asthme. Alain, sois bon, apporte-moi une tasse de thé. »

Alain Maligrasse émergea à grand-peine du lit jumeau et se drapa soigneusement d'une robe de chambre. Les Maligrasse avaient été assez beaux et épris l'un de l'autre de longues années jusqu'à la guerre de 40. Séparés durant quatre ans, ils s'étaient retrouvés très changés et très marqués par leur cinquantaine respective. Ils en avaient adopté inconsciemment une pudeur assez touchante, chacun voulant cacher à l'autre les marques des années passées. Ils en avaient adopté du même coup un goût très vif de la jeunesse. On disait des Maligrasse, avec sympathie, qu'ils aimaient la jeunesse et cette sympathie était pour une fois justifiée. Car ils l'aimaient non pas pour s'en distraire et lui prodiguer des conseils inutiles, mais parce qu'ils lui trouvaient plus d'intérêt qu'à l'âge mûr. Intérêt que ni l'un ni l'autre n'hésitaient à concrétiser si l'occasion s'en présentait, le goût de la jeunesse s'accompagnant toujours d'une naturelle tendresse pour la chair fraîche.

Cinq minutes plus tard, Alain posa le plateau sur le lit de sa femme et la regarda avec commisération. Son petit visage creux et sombre était tendu par l'insomnie, seuls ses yeux restaient immuablement beaux, d'un bleu-gris déchirant, étincelants et rapides.

« Je trouve que c'était une bonne soirée », dit-elle en prenant sa tasse. Alain regardait le thé passer dans sa gorge un peu fripée et ne pensait à rien. Il fit un effort :

« Je ne comprends pas que Bernard vienne toujours sans sa femme, dit-il. Il faut dire que Josée est bien séduisante en ce moment

— Béatrice aussi », dit Fanny avec un rire.

Alain se mit à rire en même temps. Son admiration pour Béatrice était un sujet de plaisanterie entre sa femme et lui. Et elle ne pouvait savoir à quel point cette plaisanterie lui était devenue cruelle. Tous les lundis, après ce qu'ils appelaient en plaisantant leur salon du lundi, il se couchait en grelottant ! Béatrice était belle et violente ; quand il pensait à elle, ces deux qualificatifs s'imposaient à son esprit et il pouvait se les redire indéfiniment. « Belle et violente » ; Béatrice cachant son visage tragique et sombre quand elle riait, parce que le rire lui allait mal, Béatrice parlant de son métier avec colère, parce qu'elle n'y réussissait pas encore, Béatrice un peu sotte, comme disait Fanny. Sotte, oui, elle était un peu sotte mais avec lyrisme. Alain travaillait dans une maison d'édition depuis vingt ans, il était mal payé, cultivé et très lié à sa femme. Comment « la plaisanterie Béatrice » avait-elle pu devenir ce poids énorme qu'il soulevait chaque matin en se levant, ce poids qu'il traînait tous les jours jusqu'au lundi ? Car le lundi, Béatrice venait chez le charmant vieux ménage qu'il formait avec Fanny et il jouait son rôle de quinquagénaire délicat, spirituel et distrait. Il aimait Béatrice.

« Béatrice espère avoir un petit rôle dans la prochaine pièce de X..., dit Fanny. Est-ce qu'il y a eu assez de sandwiches ? »

Les Maligrasse étaient contraints à des tours de force financiers pour assurer leur salon. L'entrée du whisky dans les mœurs avait été pour eux une catastrophe.

« Je crois », dit Alain. Il restait sur le bord du lit, les mains pendantes entre ses genoux maigres. Fanny le considéra avec tendresse et pitié.

« Ton petit cousin de Normandie arrive demain, dit-elle. J'espère qu'il aura le cœur pur, une grande âme et que Josée s'épendra de lui.

— Josée ne s'éprend de personne, dit Alain. Nous pouvons essayer de dormir, peut-être ? »

Il enleva le plateau des genoux de sa femme, l'embrassa sur le front, sur la joue et se recoucha. Il avait froid, malgré le radiateur. Il était un vieil homme qui avait froid. Et toute la littérature ne lui servait à rien.

« Dans un mois, dans un an, comment
[souffrirons-nous,
« Seigneur, que tant de mers me sépa-
[rent de vous,
« Que le jour recommence et que le jour
[finisse
« Sans que jamais Titus puisse voir Béré-
[nice ? »

Béatrice était en robe de chambre devant sa glace et se considérait. Les vers tombaient de sa bouche comme des fleurs de pierre. « Où ai-je donc lu cela ? » ; et elle se sentait saisie d'une infinie tristesse. En même temps que d'une saine colère. Il y avait cinq ans qu'elle récitait *Bérénice* pour son ex-mari et récemment pour sa glace. Elle aurait voulu être devant cette mer sombre et écumeuse qu'était une salle de théâtre et dire simplement : « Madame est servie » si vraiment il n'y avait pour elle que cela à dire.

« Je ferais n'importe quoi pour ça », dit-elle à son reflet et le reflet lui sourit.

Quant au cousin de Normandie, le jeune Edouard Maligrasse, il montait dans le train qui devait l'amener dans la capitale.

2

BERNARD se leva de sa chaise pour la dixième fois de la matinée, alla vers la fenêtre et s'y appuya. Il n'en pouvait plus. Ecrire l'humiliait. Ce qu'il écrivait l'humiliait. En relisant ses dernières pages il était saisi d'un sentiment de gratuité insupportable. Il n'y avait là rien de ce qu'il voulait dire, rien de ce quelque chose d'essentiel qu'il croyait percevoir parfois. Bernard gagnait sa vie en écrivant des notes critiques dans les revues, en étant lecteur dans la maison où travaillait Alain et dans certains journaux. Ils avait publié, trois ans auparavant, un roman que la critique avait qualifié de terne, « avec certaines qualités psychologiques ». Il voulait deux choses : écrire un bon roman, et, plus récemment, Josée. Or, les mots continuaient à le trahir et Josée avait disparu, prise d'une de ces brusques toquades pour un pays ou un garçon — on ne savait jamais — que la fortune de son père et son charme lui permettaient d'assouvir sur-le-champ.

« Ça ne va pas ? »

Nicole était rentrée derrière lui. Il lui avait dit de le laisser travailler mais elle ne pouvait s'empêcher d'entrer sans cesse dans le bureau, prétextant qu'elle ne le voyait que le matin. Il savait, mais ne pouvait l'admettre, qu'elle avait besoin de le voir pour vivre, qu'elle l'aimait chaque jour plus après trois ans, et cela lui apparaissait presque monstrueux. Car elle ne l'attirait plus. Ce qu'il aimait simplement à se rappeler, c'était cette image de lui-même au temps de leur amour, cette espèce de décision qu'il avait eue pour l'épouser, lui qui, depuis, n'avait jamais su prendre une décision sévère quelle qu'elle pût être.

« Non, ça ne va pas du tout. Parti comme je suis, il y a même peu de chances pour que ça aille jamais.

— Mais si, moi j'en suis sûre. »

Cet optimisme tendre à son sujet l'excédait plus que tout. Si Josée lui avait dit cela, ou Alain, il aurait peut-être pu y puiser une certaine confiance. Mais Josée n'en savait rien, elle l'avouait, et Alain, bien qu'encourageant, jouait au pudique avec la littérature. « L'essentiel, c'est ce qu'on voit après », disait-il. Qu'est-ce que cela pouvait bien vouloir dire ? Bernard affectait de comprendre. Mais tout ce charabia l'excédait. « Ecrire c'est avoir une feuille de papier, un stylo et l'ombre d'une idée pour commencer », disait Fanny. Il aimait bien Fanny. Il les aimait bien tous. Il n'aimait personne. Josée l'agaçait. Il la lui fallait. C'était tout. De quoi se tuer.

Nicole était toujours là. Elle rangeait, elle passait son temps à ranger ce très petit appartement où il la laissait seule toute la journée. Elle ne connaissait ni Paris ni la littérature ; les deux excitaient son admiration et son effroi. Sa seule clef à tout cela était Bernard et il lui échappait. Il était plus intelligent qu'elle, plus séduisant. On le recherchait. Et, pour le moment, elle ne pouvait avoir d'enfants. Elle ne connaissait que Rouen et la pharmacie de son père. Bernard le lui avait dit un jour, puis l'avait suppliée de lui pardonner. Il était à ces moments-là faible comme un enfant, au bord des larmes. Mais elle aimait mieux ces cruautés concertées que la grande cruauté quotidienne, lorsqu'il partait après déjeuner, l'embrassait distraitement et ne rentrait que très tard. Bernard et ses inquiétudes avaient toujours été pour elle un étonnant cadeau. On n'épouse pas les cadeaux. Elle ne pouvait lui en vouloir.

Il la regardait. Elle était assez jolie, assez triste.

« Veux-tu venir avec moi chez les Maligrasse, ce soir ? dit-il avec douceur.

— J'aimerais bien », dit-elle.

Elle avait l'air heureux tout à coup et le remords saisit Bernard, mais c'était un si vieux remords, si usé, qu'il ne s'attardait jamais. Et puis il ne risquait rien à l'emmener. Josée ne serait pas là. Josée ne lui aurait pas prêté attention s'il était venu avec sa femme. Ou alors elle n'aurait parlé qu'à Nicole. Elle avait de ces fausses bontés mais elle ne savait pas qu'elles étaient inutiles.

« Je passerai te chercher vers neuf heures, dit-il. Qu'est-ce que tu fais aujourd'hui ? »

Puis aussitôt, sachant qu'elle n'avait rien à lui répondre :

« Tâche de lire ce manuscrit pour moi, je ne vais jamais avoir le temps. »

Il savait bien que c'était inutile. Nicole avait un tel respect pour la chose écrite, une telle admiration pour le travail d'autrui, si inepte fût-il, qu'elle était incapable du moindre jugement critique. De plus, elle se croirait obligée de le lire, espérant peut-être lui rendre service. « Elle voudrait être indispensable, pensait-il avec colère en descendant l'escalier, la grande marotte des femmes... » Dans la glace en bas, il surprit l'expression courroucée de son visage et eut honte. Tout cela n'était qu'un affreux gâchis.

En arrivant chez son éditeur, il trouva Alain, l'air surexcité :

« Béatrice t'a téléphoné ; elle demande que tu la rappelles tout de suite. »

Bernard avait eu, juste après la guerre, une liaison assez orageuse avec Béatrice. Il lui manifestait un reste de tendresse condescendante qui éblouissait visiblement Alain.

« Bernard ? (Béatrice avait sa voix des grands jours, trop posée.) Bernard, est-ce que tu connais X... ? Ses pièces sont éditées chez toi, non ?

— Je le connais un peu, dit Bernard.

— Il a parlé de moi pour sa prochaine pièce, devant Fanny. Il faut que je le rencontre et que je lui parle. Bernard, fais ça pour moi. »

Il y avait quelque chose dans sa voix qui rappelait à Bernard les meilleurs jours de leur jeunesse, après la guerre, quand, ayant délaissé chacun un foyer de doux bourgeois, ils se retrouvaient à la recherche de cent francs pour leur dîner. Béatrice avait une fois obligé le patron d'un bar, renommé pour sa ladrerie, à leur avancer mille francs. Simplement avec cette voix-là. La volonté poussée à ce point était devenue chose rare, sans doute.

« Je vais arranger ça. Je te rappelle en fin d'après-midi.

— A cinq heures, dit Béatrice fermement. Bernard, je t'aime, je t'ai toujours aimé.

— Deux ans », dit Bernard en riant.

Riant toujours, il se retourna vers Alain et surprit son expression. Il se détourna aussitôt. La voix de Béatrice portait dans la pièce. Il enchaîna :

« Bien. De toute manière, je te vois ce soir chez Alain ?

— Oui, bien sûr.

— Il est près de moi, tu veux lui parler ? dit Bernard. (Il ne savait pas pourquoi il posait la question.)

— Non, je n'ai pas le temps. Dis-lui que je l'embrasse. »

La main de Maligrasse était déjà tendue vers l'écouteur. Bernard, qui lui tournait le dos, ne voyait que cette main, soignée, avec les veines saillantes.

« Je lui dirai, dit-il, au revoir. »

La main retomba. Bernard attendit un instant avant de se retourner.

« Elle vous embrasse, dit-il enfin, elle a quelqu'un qui l'attend. »

Il se sentait très malheureux.

***

Josée arrêta la voiture devant la maison des Maligrasse, rue de Tournon. C'était la nuit et le réverbère faisait étinceler la poussière sur le capot de la voiture et les moustiques collés à la vitre.

« Finalement, je ne vais pas avec toi, dit le garçon, je ne sais pas quoi leur dire. Je vais aller travailler un peu. »

Josée se sentit à la fois soulagée et déçue. Ces huits jours avec lui, à la campagne, avaient été assez accablants. Il était d'un mutisme absolu ou d'un entrain excessif. Et sa tranquillité, sa demi-vulgarité finissaient par l'effrayer autant qu'elles l'attiraient.

« Quand j'aurai travaillé, je passerai chez toi, dit le garçon. Tâche de ne pas rentrer trop tard.

— Je ne sais pas si je rentrerai, dit Josée, indignée.

— Eh bien alors, dis-le-moi, répondit-il. C'est pas la peine que je vienne pour rien, j'ai pas de voiture. »

Elle ne savait pas ce qu'il pensait. Elle lui mit la main sur l'épaule :

« Jacques », dit-elle.

Il la regarda en face, placidement. Elle dessina son visage avec la main et il plissa un peu le front :

« Je te plais ? » dit-il avec un petit rire.

« C'est drôle, il doit penser que je l'ai dans la peau ou quelque chose comme ça. Jacques F..., étudiant en médecine, mon légionnaire. Tout ça est comique. Ce n'est même pas une question physique, je ne sais pas si c'est ce reflet qu'il me renvoie de moi qui m'attire, ou cette absence de reflet, ou lui-même. Mais il n'a pas d'intérêt. Il n'est sûrement même pas cruel. Il existe, voilà l'expression. »

« Tu me plais assez, dit-elle. Ce n'est pas encore la grande passion mais...

— La grande passion, ça existe », dit-il gravement.

« Mon Dieu, pensa Josée, il doit être épris d'une grande fille blonde, immatérielle. Pourrais-je être jalouse de lui ? »

« Tu as déjà eu une grande passion ? dit-elle.

— Pas moi, mais un copain. »

Elle éclata de rire, il la regarda en hésitant à se vexer puis se mit à rire aussi. Il ne riait pas d'une manière gaie mais rauque, presque furieuse.

***

Béatrice fit une entrée triomphale chez les Maligrasse et même Fanny fut frappée par sa beauté. Rien ne sied mieux à certaines femmes que les crises de l'ambition. L'amour les aveulit. Alain Maligrasse se précipita à sa rencontre et lui baisa la main.

« Est-ce que Bernard est là ? » demanda Béatrice.

Elle cherchait Bernard parmi la douzaine de personnes déjà arrivées, elle aurait piétiné Alain pour aller à sa recherche. Alain s'écarta, le visage dévasté par un reste de joie, d'amabilité que leur brusque retombée rendait grimaçantes. Bernard était assis sur un canapé près de sa femme et d'un jeune homme inconnu. Malgré sa hâte, Béatrice reconnut Nicole et fut saisie de pitié ; elle se tenait droite, les mains sur les genoux, un sourire timide sur les lèvres. « Il faut que je lui apprenne à vivre », pensa Béatrice, avec ce qu'elle sentait en elle comme de la bonté.

« Bernard, dit-elle, tu es un infect personnage. Pourquoi ne m'as-tu pas téléphoné à cinq heures ? Je t'ai rappelé dix fois au bureau. Bonjour, Nicole.

— J'étais allé voir X..., dit Bernard, triomphant. On prend un verre tous les trois à six heures demain. »

Béatrice se laissa tomber sur le canapé et écrasa un peu le jeune homme inconnu. Elle s'excusa. Fanny s'approchait :

« Béatrice, tu ne connais pas le cousin d'Alain, Edouard Maligrasse ? »

Elle le vit alors et lui sourit. Il avait

quelque chose d'irrésistible dans le visage, un air de jeunesse, de bonté surprenant. Il la regardait avec un tel étonnement qu'elle se mit à rire. Et Bernard se joignit à elle :

« Qu'y a-t-il ? Suis-je si mal coiffée ou ai-je l'air si folle ? »

Béatrice aimait bien qu'on la croie folle. Mais cette fois, elle savait déjà que le jeune homme la trouvait belle.

« Vous n'avez pas l'air folle, dit-il. Je suis désolé si vous avez pu croire... »

Il avait l'air si embarrassé qu'elle se détourna, gênée. Bernard la regardait en souriant. Le jeune homme se leva et, d'un pas incertain, se rendit à la table de la salle à manger.

« Il est fou de toi, dit Bernard.

— Ecoute, c'est toi qui es fou, je viens d'arriver. »

Mais elle en était déjà persuadée. Elle croyait facilement qu'on était fou d'elle, sans en tirer d'ailleurs une excessive vanité.

« Ça n'arrive que dans les romans, mais c'est un jeune homme de roman, dit Bernard, il arrive de province pour vivre à Paris, il n'a jamais aimé personne et l'avoue avec désespoir. Mais il va changer de désespoir. Notre belle Béatrice va le faire souffrir.

— Parle-moi plutôt de X..., dit Béatrice. Est-il pédéraste ?

— Béatrice, tu prévois trop, dit Bernard.

— Ce n'est pas ça, dit Béatrice, mais je m'entends très mal avec les pédérastes. Ça m'ennuie, je n'aime que les gens sains.

— Je ne connais pas de pédérastes, dit Nicole.

— Ça ne fait rien, dit Bernard, d'abord, il y en a trois ici... »

Mais il s'arrêta brusquement. Josée venait d'arriver, elle riait avec Alain dans l'entrée en jetant des coups d'œil dans le salon. Elle avait l'air fatigué et une trace noire sur la joue. Elle ne le voyait pas. Bernard éprouva une douleur sourde :

« Josée, où avais-tu disparu ? » cria Béatrice, et Josée se tourna, les vit et s'approcha en souriant à peine. Elle avait l'air à la fois épuisé et heureux. A vingt-cinq ans, elle gardait cet air d'adolescence rôdeuse qui l'apparentait à Bernard.

Il se leva :

« Je ne crois pas que vous connaissiez ma femme, dit-il, Josée Saint-Gilles. »

Josée sourit, ne cilla pas. Elle embrassa Béatrice et s'assit. Bernard était debout devant elles, sur une jambe, il ne pensait plus à rien sinon : « D'où vient-elle ? Qu'a-t-elle fait depuis dix jours ? Si seulement elle n'avait pas d'argent. »

« J'ai passé dix jours à la campagne, dit-elle. C'était tout roux.

— Vous avez l'air fatigué, dit Bernard.

— J'aimerais bien aller à la campagne », dit Nicole. Elle regardait Josée avec sympathie, c'était la première personne qui ne l'intimidât pas. Josée ne faisait peur que lorsqu'on la connaissait bien et sa gentillesse semblait alors mortelle.

« Vous aimez la campagne ? » dit Josée.

« Ça y est, pensa Bernard avec fureur, elle va s'occuper de Nicole, lui parler gentiment. Vous aimez la campagne ? Pauvre Nicole, elle se voit déjà une amie. » Il se dirigea vers le bar, décidé à s'enivrer.

Nicole le suivit du regard et Josée éprouva devant ce regard un mélange d'agacement et de pitié. Elle avait eu une certaine curiosité de Bernard mais il s'était vite révélé trop semblable à elle-même, trop instable pour qu'elle s'y attachât. Et apparemment, il en était de même pour lui. Elle essayait de répondre à Nicole, mais elle s'ennuyait. Elle était fatiguée et tous ces gens lui paraissaient privés de vie. Ce séjour avait duré longtemps, il lui semblait revenir d'un long voyage au pays de l'absurde.

« ... et comme je ne connais personne qui ait une voiture, disait Nicole, je ne peux jamais aller marcher dans les forêts. »

Elle s'arrêta et dit brusquement :

« Ni personne qui n'ait pas de voiture, d'ailleurs. »

L'amertume de la phrase frappa Josée.

« Etes-vous seule ? » dit-elle.

Mais déjà Nicole s'affolait :

« Non, non, je disais ça en l'air, et puis j'aime beaucoup les Maligrasse. »

Josée hésita un instant. Il y avait encore trois ans de cela, elle l'aurait interrogée, aurait essayé de l'aider. Mais elle était fatiguée. Fatiguée d'elle-même, de sa vie. Que signifiaient ce garçon brutal, et ce salon ? Elle savait déjà, aussi, qu'il ne s'agissait plus de trouver une réponse mais d'attendre que la question ne se posât plus.

« Si vous voulez, la prochaine fois que j'irai me promener, je passe vous chercher », dit-elle simplement.

Bernard était arrivé à ses fins : il était ivre, légèrement, et trouvait le plus grand charme à la conversation du jeune Maligrasse qui eût pourtant dû l'agacer, orientée comme elle l'était :

« Vous dites qu'elle s'appelle Béatrice ? Elle fait du théâtre, mais où ? J'irai demain. Voyez-vous, c'est très important pour moi de bien la connaître. J'ai écrit une pièce et je crois qu'elle serait très bien pour la principale héroïne. »

Edouard Maligrasse parlait avec flamme. Bernard se mit à rire :

« Vous n'avez pas écrit de pièce de théâtre. Vous êtes prêt à aimer Béatrice. Mon ami, vous allez souffrir, Béatrice est gentille, mais elle est l'ambition même.

— Bernard, ne dites pas de mal de Béatrice qui vous adore ce soir, intervint Fanny. Et puis j'aimerais que vous écoutiez la musique de ce garçon. »

Elle désignait un jeune homme qui

s'installait au piano. Bernard vint s'asseoir aux pieds de Josée, il se sentait les mouvements dégagés, une grande aisance à vivre. Il parlerait à Josée : « Ma chère Josée, c'est très ennuyeux, je vous aime », et ce serait vrai sans doute. Il se rappela brusquement la manière dont elle lui avait entouré le cou de son bras la première fois qu'il l'avait embrassée, dans la bibliothèque de son appartement, cette manière de s'installer contre lui, et le sang lui reflua au cœur. Elle ne pourrait pas ne pas l'aimer.

Le pianiste jouait de la musique très belle, lui semblait-il, très tendre, avec une phrase légère qui revenait sans cesse, une musique à la tête penchée. Bernard comprit brusquement ce qu'il fallait écrire, et ce qu'il lui fallait expliquer : cette phrase était la Josée de tous les hommes, leur jeunesse et leurs plus mélancoliques désirs. « Voilà, pensa-t-il avec exaltation, c'est cette petite phrase ! Ah ! Proust, mais il y a Proust ; je n'ai rien à faire de Proust à la fin. » Il prit la main de Josée qui la retira. Nicole le regardait et il lui sourit parce qu'il l'aimait bien.

***

Edouard Maligrasse était un jeune homme au cœur pur. Il ne confondait pas la vanité avec l'amour, il n'entretenait pas d'autre ambition que celle d'avoir des passions. En ayant été très privé à Caen, il arrivait à Paris comme un conquérant désarmé, ne désirant ni réussir, ni posséder une voiture de sport, ni être bien vu par quelques personnes. Son père lui avait trouvé une place modeste chez un agent d'assurances, qui le satisfaisait fort bien depuis une semaine. Il aimait les plates-formes des autobus, les cafés-comptoirs, et les sourires que lui adressaient les femmes, car il avait quelque chose d'irrésistible. Ce n'était pas la candeur mais une entière disponibilité.

Béatrice lui inspira une immédiate passion et surtout un désir violent que la femme du notaire de Caen, sa maîtresse d'alors, ne lui avait jamais donné. De plus elle était arrivée dans ce salon parée de tous les prestiges de la désinvolture, de l'élégance, du théâtre et, enfin, de l'ambition. Sentiment qu'il admirait sans pouvoir le comprendre. Mais il y aurait un jour où Béatrice lui dirait, en renversant la tête : « Ma carrière m'importe moins que toi » et il enfouirait son visage dans les cheveux noirs, embrasserait ce masque tragique, le ferait taire. Il s'était dit cela en buvant sa citronnade tandis que le jeune homme jouait du piano. Bernard lui plaisait : il lui trouvait cet air sarcastique et ardent, propre au journaliste de Paris, qu'il avait lu dans Balzac.

Il se précipita donc pour raccompagner Béatrice. Mais elle avait une petite voiture qu'un ami lui avait prêtée et elle lui offrit de le déposer chez lui.

« Je pourrai vous raccompagner et rentrer à pied », dit-il.

Mais elle prétendit que c'était inutile. Elle le laissa donc à ce coin affreux du boulevard Haussmann et de la rue Tronchet, pas loin de chez lui. Il avait l'air si désemparé qu'elle lui mit la main sur la joue et lui dit : « Au revoir, chevreau », car elle adorait trouver aux gens des ressemblances animales. De plus, ce chevreau semblait prêt à rentrer docilement dans la bergerie de ses admirateurs, un peu démunie par hasard en ce moment. Enfin, il était assez joli garçon. Mais le chevreau restait fasciné au bout de sa main qu'elle avait passée par la portière, il haletait un peu comme les bêtes aux abois et elle eut un instant d'émotion qui lui fit donner plus rapidement que dans ses délais habituels son numéro de téléphone. « Elysées » devint alors le symbole de la vie et du progrès pour Edouard. Le suivait déjà bien loin la triste cochorte des Danton-Maligrasse ou Wagram-bureau. Il traversa Paris à pied comme font les jeunes quand ils aiment, piétons ailés, et Béatrice alla se réciter la tirade de Phèdre devant sa glace. C'était un très bon excercice. Le succès demandait avant tout de l'ordre et du travail, nul ne l'ignorait.

3

LA première rencontre entre Jacques et ceux que Josée appelait secrètement « les autres » depuis bientôt près d'un mois fut pénible. Elle le leur avait caché non sans difficulté, car elle éprouvait une grande tentation de rompre quelque chose entre elle et eux, quelque chose basé sur le bon goût, une certaine estime, quelque chose qui faisait que ces individus s'aimaient entre eux et que Jacques leur serait incompréhensible, à moins qu'ils ne se réfèrent à des explications sexuelles, en ce cas précis erronées. Seule, Fanny peut-être aurait compris. Aussi est-ce par elle que Josée commença sa tournée de présentation.

Elle alla prendre le thé rue de Tournon. Jacques devait passer l'y chercher. Il lui avait appris que sa présence chez les Maligrasse, le premier soir qu'elle l'avait rencontré, était toute fortuite : il y avait été amené par un des soupirants de Béatrice. « Même que tu as bien failli me manquer car je m'ennuyais sec et j'allais partir », avait-il ajouté. Elle ne lui avait pas demandé pourquoi il ne disait pas : « J'ai failli te manquer » ou : « Nous avons failli nous manquer. » Il parlait toujours de son existence par rapport aux autres gens comme d'un accident qui leur arriverait — sans spécifier s'il était fâcheux. Et Josée finissait par penser que non. Qu'il était évidemment un accident et qu'elle s'en fatiguait déjà. Seulement rien n'était encore aussi fort que sa curiosité de lui.

Fanny était seule et lisait un nouveau roman. Elle lisait toujours les nouveaux romans, mais ne citait jamais que Flaubert ou Racine, sachant ce dont on doit se frapper. Elle et Josée s'aimaient bien mais se déroutaient, non sans une sourde confiance qu'elles n'éprouvaient peut-être pour personne d'autre. Elles parlèrent d'abord de la folle passion d'Edouard pour Béatrice et du rôle qu'avait obtenu Béatrice dans la pièce de X...

« Elle sera meilleure dans la pièce de

X... que dans celle qu'elle va jouer avec ce pauvre Edouard », disait Fanny.

Elle était menue, très bien coiffée, avec des gestes gracieux. Le divan mauve lui allait bien et ses meubles anglais.

« Vous allez bien avec votre appartement, Fanny, je crois que c'est rare.

— Qui a décoré le vôtre ? s'enquit Fanny. Ah ! oui. Levêgue. C'est très bien, non ?

— Je ne sais pas, dit Josée. On le dit. Je ne crois pas qu'il m'aille, d'ailleurs je n'ai jamais l'impression que les décors m'aillent. Les gens quelquefois. »

Elle pensa à Jacques et rougit. Fanny la regardait :

« Vous rougissez. Je crois que vous avez trop d'argent, Josée. Que devient l'Ecole du Louvre ? Et vos parents ?

— Vous savez comment se passe l'Ecole du Louvre pour moi. Mes parents sont toujours en Afrique du Nord. Ils m'envoient toujours des chèques. Je suis toujours l'inutilité même, socialement. Ça m'est égal, mais... »

Elle hésita :

« Mais j'aimerais passionnément faire quelque chose qui me plaise, non, qui me passionne. Tout cela fait beaucoup de passion dans la même phrase. »

Elle s'arrêta et dit brusquement :

« Et vous ?

— Moi ? »

Fanny Maligrasse écarquillait les yeux, comiquement.

« Oui. C'est toujours vous qui écoutez. Renversons les rôles. Suis-je malpolie ?

— Moi ? dit Fanny avec un rire, mais j'ai Alain Maligrasse. »

Josée leva les sourcils ; il y eut un silence et elles se regardèrent comme si elles avaient le même âge :

« Ça se voit tant que ça ? » demanda Fanny.

Elle avait une intonation qui toucha Josée et la gêna. Elle se leva et se mit à marcher dans la pièce :

« Je ne sais pas ce que c'est, chez Béatrice. Sa beauté ? Ou cette force aveugle ? C'est la seule qui ait vraiment de l'ambition parmi nous.

— Et Bernard ?

— Bernard aime la littérature plus que toute autre chose. Ce n'est pas pareil. Et puis il est intelligent. Rien ne vaut une certaine forme de bêtise. »

Elle pensa de nouveau à Jacques. Et

résolut d'en parler à Fanny bien qu'elle eût décidé de le laisser arriver pour voir sa surprise. Mais Bernard entra. Il eut en apercevant Josée un mouvement de bonheur que Fanny surprit aussitôt.

« Fanny, votre époux a un dîner d'affaires et m'envoie en estafette chercher une cravate élégante car il n'aura pas le temps de rentrer. Il a spécifié : « Ma bleue avec des raies noires. »

Ils se mirent à rire tous les trois et Fanny sortit chercher la cravate. Bernard prit les mains de Josée :

« Josée, je suis heureux de vous voir. Mais malheureux que ce soit toujours si vite. Ne voulez-vous plus dîner avec moi ? »

Elle le regardait ; il avait un air étrange, un mélange d'amertume et de bonheur. Il avait la tête penchée, les cheveux noirs, l'œil brillant. « Il me ressemble, pensa-t-elle, il est de la même espèce que moi, j'aurais dû l'aimer. »

« Nous dînerons quand vous voudrez », dit-elle.

Depuis quinze jours, elle dînait avec Jacques, chez elle, car il ne voulait pas aller au restaurant, ne pouvant payer, et sa fierté s'accommodait mieux des dîners chez Josée. Après dîner, il « potassait » ses cours, sérieusement, et Josée lisait. Cette vie conjugale avec ce demi-muet, pour Josée habituée aux sorties tardives, aux conversations drôles, était extraordinaire. Elle s'en aperçut brusquement. Mais on sonnait et elle dégagea ses mains de celles de Bernard :

« On demande mademoiselle, dit la femme de chambre.

— Faites donc entrer », dit Fanny.

Revenue, elle s'immobilisait à l'autre porte. Bernard était déjà tourné vers l'entrée. « Mais on se croirait au théâtre », pensa Josée avec un début de fou rire.

Jacques apparut comme le taureau apparaît dans l'arène, le front bas, tâtant le tapis du pied. Il portait un nom belge que Josée essayait déjà désespérément de se rappeler mais il la devança :

« Je viens te chercher », dit-il.

Il tenait les mains dans les poches de son duffle-coat, l'air menaçant. « Il est vraiment insortable », pensa Josée en étranglant son fou rire, mais elle avait eu un mouvement de joie et de dérision en le voyant et en voyant le visage de Fanny.

Celui de Bernard ne reflétait rien. On eût dit qu'il était aveugle.

« Dis quand même bonjour », dit Josée presque tendrement. Alors Jacques sourit avec une sorte de grâce, serra la main de Fanny et celle de Bernard. Le soleil couchant, dans la rue de Tournon, le rendait roux. « Il y a un mot pour ce genre d'hommes, pensa Josée : la vitalité, la virilité... ? »

« Il y a un mot pour ce genre de garçons, pensait Fanny de son côté : c'est un voyou. Où l'ai-je déjà vu ?... »

Elle fut aussitôt très aimable.

« Mais asseyez-vous. Pourquoi sommes-nous tous debout ? Voulez-vous prendre quelque chose ? ou êtes-vous pressé ?

— Moi, j'ai le temps, dit Jacques. Et toi ? »

Il s'adressait à Josée. Elle acquiesça de la tête.

« Il faut que je parte, dit Bernard.

— Je vous raccompagne, dit Fanny. Vous oubliez la cravate, Bernard. »

Il était déjà à la porte d'entrée, très pâle. Fanny, qui était prête à échanger avec lui des signes d'étonnement, ne bougea pas. Il sortit sans dire un mot.

Fanny rentra au salon. Jacques était assis et regardait Josée en souriant :

« Je te parie que c'est le type du téléphone », dit-il.

***

Il marchait dans la rue comme un possédé, parlant presque à voix haute. Enfin, il trouva un banc, s'y assit et ramena les bras autour du corps comme s'il avait froid. « Josée, pensait-il, Josée et cette petite brute ! » Il se penchait en avant et se redressait sous l'emprise d'une véritable douleur physique ; une vieille femme assise près de lui le regardait avec étonnement et un début d'effroi. Il la vit, se leva, reprit sa marche. Il lui fallait porter sa cravate à Alain.

« J'en ai assez, pensait-il avec résolution, c'est intolérable. De mauvais romans, une passion dérisoire pour une petite grue ! Ce n'est même pas une petite grue, en plus. Et je ne l'aime pas, j'en suis jaloux. Ça ne peut plus durer, c'est trop, ou trop peu. » En même temps, il prenait la décision de partir. « Je trouverai bien un voyage culturel quelconque à faire, pensait-il avec sarcasme, c'est tout ce que je sais faire : des articles culturels, des voyages culturels, des conversations culturelles. La culture, c'est ce qui reste quand on ne sait rien faire. » Et Nicole ? Il renverrait Nicole à ses parents, pour un mois, il essayerait de se reprendre en main. Mais quitter Paris, Paris où était Josée... ? Où irait-elle avec ce garçon, que ferait-elle ? Il se heurta à Alain dans l'escalier.

« Enfin, dit Alain, ma cravate ! »

Il devait dîner avec Béatrice avant la pièce. Comme elle ne paraissait qu'au second acte, ils avaient jusqu'à dix heures. Mais chaque minute de ce tête-à-tête lui apparaissait précieuse. Edouard Maligrasse, son neveu, était le prétexte qu'Alain eût trouvé pour voir Béatrice en dehors du lundi.

***

Nanti d'une cravate neuve et, par habitude, préoccupé vaguement de la mauvaise mine de son protégé, Bernard, il partit chercher Béatrice à son hôtel, dans une petite rue près de l'avenue Montaigne. Il imaginait ; il ne savait pas ce qu'il imaginait : Béatrice et lui dans un restaurant au luxe discret, le bruit de voitures dehors, et surtout ce qu'il appelait « l'admirable masque » de Béatrice, voilé par la lumière rose d'un abat-jour et penché vers lui. Lui, Alain Maligrasse, homme un peu blasé, de bon goût, et de grande taille, chose importante, il le savait, aux yeux de Béatrice. Ils parleraient d'Edouard, avec indulgence d'abord, puis avec ennui, enfin de la vie, de cette certaine désillusion que la vie ne manque jamais d'apporter aux femmes un peu belles, de l'expérience. Il lui prendrait la main par-dessus la table. Il n'osait s'imaginer un rôle plus hardi. Mais il ignorait tout de celui de Béatrice. Il la craignait, car il pressentait déjà qu'elle serait de bonne humeur et affligée de cette effrayante santé morale que donne l'ambition.

Béatrice, néanmoins, jouait un rôle, ce soir-là, qui eût pu s'accorder avec celui de Maligrasse. Quelques bonnes paroles du metteur en scène de la pièce de X..., l'attention inattendue d'un journaliste influent, l'avaient mentalement menée droit au succès, par un de ces chemins linéaires que prend l'imagination quand le monde l'appuie. Elle était donc, ce soir, la jeune actrice qui a réussi. Et, accordant ses rêves à la réalité, grâce à un de ces miracles de conciliation, horaire et sentimentale, que seules peuvent accomplir les âmes un peu basses, elle était la jeune actrice triomphante, mais préférant la conversation d'un homme de lettres de goût aux joies frelatées des boîtes de nuit, le succès n'excluant pas l'originalité. C'est pourquoi elle entraîna Alain Maligrasse, pourtant prêt grâce à de savants calculs à quelques folies, dans un bistroquet dit pour intellectuels. Il n'y eut donc pas d'abat-jour rose entre Alain et elle, mais les mains exaspérées de la servante, les remous bruyants des autres tables et une affreuse guitare.

« Mon cher Alain, disait Béatrice de sa voix basse, que se passe-t-il ? Je ne vous cache pas que votre dernier coup de téléphone m'a extrêmement intriguée. »

(La dernière pièce de X... était une pièce historico-policière.)

« C'est au sujet d'Edouard », dit Maligrasse nerveusement.

Le temps passait, le temps passait, il pétrissait son pain. La première demi-heure avait été une confusion de taxis, de renseignements contradictoires de Béatrice au chauffeur pour découvrir cet infâme endroit, de supplications pour y avoir une place. Il eût aimé respirer. De plus il y avait une glace en face de lui où il discernait son long visage un peu mou, inutilement creusé par endroits, inutilement enfantin par d'autres. Il y a des gens que la vie marque au hasard, leur assurant de ce chef une vieillesse incertaine. Il soupira.

« Edouard ? souriait Béatrice.

— Oui, Edouard, dit-il — et ce sourire lui serrait le cœur —. Ce discours va vous sembler ridicule (mon Dieu, qu'il lui semble ridicule !), mais Edouard est un enfant. Et il vous aime. Depuis qu'il est ici, il a emprunté plus de cent mille francs, dont cinquante à Josée, pour s'habiller d'une manière extravagante, et vous plaire.

— Il me couvre de fleurs », dit Béatrice en souriant à nouveau.

C'était un sourire parfait, plein d'une indulgence un peu lasse, mais Alain Maligrasse qui n'allait que très peu au cinéma ou au mauvais théâtre ne le reconnut pas. Ce sourire lui parut celui de l'amour et il eut presque envie de partir.

« C'est ennuyeux, acheva-t-il mollement.

— Ennuyeux qu'on m'aime ? dit Béatrice en penchant la tête et elle eut le sentiment de se détourner de la conversation. Mais le cœur de Maligrasse avait sauté.

— Je le comprends trop bien, dit-il avec ferveur, et Béatrice eut un rire de tête.

— Je prendrai volontiers du fromage, dit-elle. Parlez-moi d'Edouard, Alain. Je ne vous le cache pas, il m'amuse. Mais je n'aime pas qu'il emprunte de l'argent pour moi. »

Elle avait pensé un moment avouer : « Mais qu'il se ruine ! à quoi donc sont bons les jeunes hommes ? » Mais outre que ce n'était point sa pensée, car elle avait bon cœur, elle estima que ce n'était pas là chose à dire à un oncle aux abois. Alain avait l'air consterné. Elle se pencha vers lui comme il l'avait rêvé, et la guitare devint déchirante et les prétentieuses bougies chavirèrent dans les yeux de Béatrice.

« Que dois-je faire, Alain ? Et honnêtement, que puis-je faire ? »

Il reprit son souffle et se lança dans une explication confuse. Peut-être pouvait-elle laisser comprendre à Edouard qu'il n'y avait aucun espoir.

« Mais il y en a », se dit Béatrice avec gaieté. Elle eut une crise d'attendrissement en pensant à Edouard, ses cheveux châtains si fins, ses gestes gauches, sa voix gaie au téléphone. Et il empruntait pour elle ! Elle oublia la pièce de X..., son rôle du soir, et eut envie de rencontrer Edouard, de le serrer contre elle, de le sentir trembler de bonheur. Elle l'avait revu une seule fois, dans un bar, et il était resté figé, mais avec un air si ébloui qu'elle en avait ressenti une sorte de fierté. Envers Edouard, tout geste devenait un merveilleux cadeau et elle sentait confusément que ses rapports avec les êtres ne pouvaient être que de cet ordre.

« Je ferai ce que je peux, dit-elle. Je vous le promets. Sur Fanny. Et vous savez que je l'aime ! »

« Quelle idiote ! » Cette réflexion traversa le cerveau de Maligrasse. Mais il s'accrochait désespérément à son plan.

Parler d'autre chose, à présent, et finir enfin par prendre la main de Béatrice.

« Si nous partions, dit-il. Peut-être pourrions-nous boire un whisky quelque part, avant le deuxième acte. Je n'ai pas faim. »

« Nous pourrions aller au Vat's, pensait Béatrice, mais c'est un endroit où on rencontre tellement de gens. Bien sûr Alain est connu, mais dans un si petit cercle ; et sa cravate fait clerc de notaire. Cher Alain, si vieille France ! » Et elle tendit la main à travers la table et saisit celle d'Alain.

« Nous irons où vous voudrez, dit-elle. Je suis heureuse que vous existiez. »

Alain s'essuya la bouche et demanda l'addition d'une voix éteinte.

La main de Béatrice, après avoir tapoté la sienne, s'enfila dans un gant rouge, du même rouge que ses chaussures. A dix heures, après avoir bu un whisky dans le café en face du théâtre et parlé de la guerre et de l'après-guerre, « Les jeunes gens de maintenant ne savent pas ce que c'est qu'une cave, ni le jazz », disait Béatrice, ils se quittèrent. Alain avait cessé de lutter depuis près d'une heure. Il écoutait avec une sombre joie Béatrice aligner des lieux communs et admirait son visage de temps en temps, quand il en avait le courage. Elle eut un moment de coquetterie ou deux vers lui car elle se trouvait en forme ce soir-là, mais il ne les remarqua même pas. Quand on rêve à quelque chose comme une énorme chance éclatante, on ne perçoit plus les petits moyens pourtant plus efficaces qu'on a de l'avoir. Alain Maligrasse avait lu Stendhal plus attentivement que Balzac. Cela lui coûtait cher. Il lui coûtait cher d'ailleurs d'avoir lu et de savoir qu'on peut mépriser ce qu'on aime. Cela lui épargnait une crise, sans doute, mais qui eût pu être décisive. Il est vrai qu'à son âge la passion se passe plus facilement de l'estime. Mais il n'avait pas comme Josée la ressource d'une évidence heureuse : « Ce garçon est à moi. »

Il rentra chez lui comme un voleur. Eût-il passé trois heures avec Béatrice dans un hôtel qu'il serait rentré triomphant, avec cette bonne conscience que donne le bonheur. Il n'avait pas trompé Fanny, il rentrait comme un coupable. Elle était dans son lit, une liseuse bleue sur les épaules. Il se déshabilla dans la salle de bains, en parlant vaguement de son dîner d'affaires. Il se sentait moulu.

« Bonsoir, Fanny. »

Il se penchait sur sa femme. Elle l'attira contre elle. Il avait le visage sur son épaule.

« Bien sûr, elle a deviné, pensa-t-il avec lassitude. Mais ce n'est pas cette épaule un peu flétrie que je veux, c'est l'épaule dure et ronde de Béatrice ; c'est le visage renversé et délirant de Béatrice qu'il me faut, et non ces yeux intelligents. »

« Je suis très malheureux », dit-il à haute voix ; puis il se dégagea et gagna son lit.

4

IL partait et Nicole pleurait. Tout cela était prévu depuis longtemps. Il semblait à Bernard, à mesure qu'il faisait ses bagages, que toute sa vie avait toujours été prévue. Il était normal qu'il ait eu un physique agréable, une jeunesse inquiète, une liaison avec Béatrice, une longue liaison avec la littérature. Et encore plus normal qu'il ait épousé cette jeune femme un peu insignifiante qu'il faisait souffrir à présent d'une souffrance animale à laquelle il ne comprenait rien. Car il était une brute, avec de petites cruautés d'homme moyen, de petites histoires d'homme moyen. Mais il fallait jouer le mâle rassurant jusqu'au bout. Il se retournait vers Nicole, la prenait dans ses bras :

« Ma chérie, ne pleure pas, tu as compris qu'il fallait que je parte. C'est important pour moi. Un mois, ce n'est pas grave. Tes parents...

— Je ne veux pas retourner chez mes parents, même pour un mois. »

C'était la nouvelle idée fixe de Nicole. Elle voulait rester dans cet appartement. Et il savait que, toutes les nuits, elle dormirait le visage tourné vers la porte, l'attendant. Une pitié affreuse le prenait qu'il retournait contre lui-même.

« Tu t'ennuieras, seule ici.

— J'irai voir les Maligrasse. Et Josée a promis de m'emmener en voiture. »

« Josée. » Il la lâchait, attrapait ses chemises avec rage, les enfouissait dans sa valise. Josée. Ah ! il s'agissait bien de Nicole et des sentiments humains ! Josée. Quand serait-il délivré de ce nom, de cette jalousie ? La seule chose violente de sa vie. Et il fallait que ce fût la jalousie. Il se haïssait.

« Tu m'écriras ? demandait Nicole.

— Tous les jours. »

Il avait envie de se retourner, de lui dire : « Je peux même t'écrire trente lettres d'avance : « Ma chérie, tout se passe bien. L'Italie est très belle, nous irons ensemble. J'ai énormément de travail mais je pense à toi. Tu me manques. Je t'écrirai plus longuement demain. Je t'embrasse. » Voilà ce qu'il lui écrirait pendant un mois. Pourquoi fallait-il qu'il y eût des gens qui vous donnent une voix et d'autres pas ? Ah ! Josée ! Il écrivait à Josée : « Josée, si vous saviez. Je ne sais comment vous faire comprendre et je suis loin de vous, de ce visage qui est le vôtre et dont la seule pensée me déchire. Josée, est-ce que je me suis trompé ? Est-il encore temps ? » Oui, il le savait, il écrirait à Josée, d'Italie, un soir de cafard et les mots deviendraient durs et lourds sous sa plume et ce seraient des mots vivants. Il saurait écrire, enfin. Mais Nicole...

Elle était blonde, elle pleurait encore un peu, appuyée à son dos.

« Je te demande pardon, dit-il.

— C'est moi qui te demande pardon. Je n'ai pas su... Oh ! tu sais, Bernard, j'ai essayé, j'ai essayé quelquefois...

— Quoi ? dit-il. Il avait peur.

— J'ai essayé d'être à ta hauteur, de t'aider, de te tenir compagnie, mais je ne suis pas assez intelligente, ni drôle ni rien... et je le savais bien... oh ! Bernard !... »

Elle étouffait. Bernard la serrait contre lui et lui demandait pardon, obstinément, d'une voix morte.

Et puis ce fut la route. Il retrouvait des gestes d'homme seul au volant de la voiture que son éditeur lui avait prêtée. La manière d'allumer une cigarette en conduisant d'une main, le jeu des phares sur la route et des codes, ces signaux de crainte et d'amitié que s'envoient les conducteurs de la nuit, et la grande envolée des arbres et de leur feuillage au-devant de lui. Il était seul. Il voulait rouler toute la nuit et il reconnaissait déjà le goût de la fatigue. Il descendait sur lui une sorte de bonheur résigné. Tout était manqué, peut-être, et qu'importait ? Il y avait autre chose, il le savait depuis toujours, quelque chose qui était lui-même, sa solitude, et qui l'exaltait. Demain, il y aurait Josée qui redeviendrait le plus important et il commettrait mille lâchetés, subirait mille défaites, mais ce soir, au bout de sa fatigue et de sa tristesse il avait retrouvé quelque chose qu'il retrouverait sans cesse, visage tranquille de lui-même bercé par les feuillages des arbres.

Rien ne ressemble plus à une ville

d'Italie qu'une autre ville d'Italie, surtout en automne. Bernard, après six jours de Milan à Gênes, ayant effectué quelques travaux dans les musées et les gazettes, décida de revenir en France. Il avait envie d'une ville de province et d'une chambre d'hôtel. Il choisit Poitiers qui lui semblait la ville la plus morte qu'on pût imaginer et y chercha l'hôtel le plus moyen qui s'appela *L'Ecu de France*. Il choisissait toutes ces circonstances délibérément comme il aurait effectué une mise en scène pour une pièce. Mais il ne savait pas encore quelle pièce il jouerait dans ce décor qui, selon le temps, lui rappelait Stendhal ou Simenon. Il ne savait pas quel échec l'attendait ni quelle fausse découverte. Mais il savait qu'il s'ennuierait profondément, délibérément, probablement avec désespoir et que cet ennui, ce désespoir iraient peut-être assez loin pour le sortir de son impasse. L'impasse, il le savait après dix jours de voiture, ce n'était ni sa passion pour Josée ni son échec en littérature, ni sa désaffection de Nicole. Mais quelque chose qui manquait à cette passion, à cette impuissance, à cette désaffection. Quelque chose qui aurait dû combler ce vide matinal, cet agacement de lui-même. Il posait les armes, il se livrait à la bête. Pendant trois semaines, il aurait à se supporter, seul.

Le premier jour, il établit son itinéraire. Le marchand de journaux, le café du Commerce pour l'apéritif, le petit restaurant à spécialités en face, le cinéma au coin. La chambre d'hôtel était tapissée d'un papier bleu et gris, avec de grosses fleurs usées, le lavabo émaillé, la descente de lit marron, tout était bien. Par la fenêtre, il apercevait la maison d'en face, cinglée d'une vieille affiche « Aux cent mille chemises », une fenêtre fermée, qui pourrait peut-être s'ouvrir, lui laissant ainsi un vague espoir romanesque. Enfin, sur sa table traînait un napperon blanc qui dérapait et qu'il devait enlever pour écrire. La patronne de l'hôtel était accueillante, mais avec réserve, la femme d'étage vieille et bavarde. Enfin il pleuvait beaucoup sur Poitiers cette année-là. Bernard effectua son installation sans aucune moquerie de lui-même, sans ironie. Il se traitait avec ménagements, comme un étranger, s'achetait beaucoup de journaux, s'offrit même quelques vins-blancs-cassis de trop le deuxième jour. Cela lui donna une ivresse dangereuse en ce sens qu'elle prit aussitôt le non de Josée. « Garçon, combien faut-il de temps pour obtenir Paris au téléphone ? » Mais il put ne pas téléphoner.

Il recommença son roman. La première phrase était une phrase de moraliste. « Le bonheur est la chose la plus calomniée qui soit », etc. Cette phrase semblait juste à Bernard. Juste et inutile. Mais elle trônait en haut de la page. Chapitre I. « Le bonheur est la chose la plus calomniée qui soit. Jean-Jacques était un homme heureux, on en disait du mal. » Bernard eût aimé commencer autrement. « Le petit village de Boissy s'offre aux yeux du voyageur comme une paisible bourgade que le soleil », etc. Mais il ne pouvait pas. Il voulait en venir aussitôt à l'essentiel. Mais quel essentiel, et quelle était cette notion d'essentiel ? Il écrivait une heure le matin ; sortait acheter les journaux, se faire raser et déjeunait. Puis il travaillait trois heures l'après-midi, lisait un peu (Rousseau) et allait se promener jusqu'au dîner. Après cela cinéma ou, une fois, la maison close de Poitiers, pas plus minable qu'une autre et où il s'aperçut que l'abstinence rendait du goût aux choses.

La deuxième semaine fut bien plus dure. Son roman était mauvais. Il le relisait avec sang-froid et reconnaissait qu'il était mauvais. Même pas mauvais d'ailleurs. Pire. Non pas ennuyeux mais profondément ennuyeux. Il écrivait comme on se coupe les ongles, avec une attention et une distraction également énormes. Il vérifiait aussi son état de santé, observait la fragilité nouvelle de son foie, la nervosité de ses réflexes, tous les dégâts légers de la vie de Paris. Il lui arriva de se regarder dans le petit miroir de sa chambre, un après-midi et de se retourner contre le mur, les bras écartés, pressant son corps contre la paroi froide et dure, les yeux fermés. Il lui arriva aussi d'écrire une lettre laconique et désespérée à Alain Maligrasse. Ce dernier lui envoya quelques conseils : regarder autour de soi, se détourner de soi-même, etc. Conseils stupides, Bernard le savait. Personne n'a jamais le temps de se regarder vraiment et la plupart ne cherchent chez les autres que les yeux, pour s'y voir. Là, obscurément cerné par ses limites, Bernard se tenait. Il ne se laisserait pas échapper pour le giron d'une dame de Poitiers.

Cela ne servait à rien, il le savait, sinon à le faire souffrir. Il allait rentrer à Paris, son manuscrit presque terminé sous le bras. Il le remettrait même à son éditeur qui le publierait. Et il essaierait de revoir Josée. Et d'oublier le regard de Nicole. C'était inutile. Mais il puisait dans la conviction de cette inutilité une sorte de tranquillité dure. Il savait aussi en quels termes plaisants il parlerait de Poitiers et de ses distractions. Quel plaisir il ressentirait devant le regard étonné des gens, au récit de cette escapade ! Quelle vague idée même de son originalité ce regard lui donnerait ! Et enfin avec quelle pudeur virile il dirait : « J'ai surtout travaillé. » Il savait déjà comment se styliserait tout cela. Mais il lui importait peu. Sa fenêtre ouverte, il écoutait, la nuit, la pluie tomber sur Poitiers et suivait des yeux les phares dorés des rares voitures qui, au passage, faisaient naître du mur de grosses roses passées pour les rejeter à l'ombre aussitôt. Etendu sur le dos, les bras sous la tête, les yeux ouverts, immobile, Bernard fumait sa dernière cigarette de la journée.

Edouard Maligrasse n'était pas un niais. C'était un jeune homme fait pour le bonheur ou le malheur, et que l'indifférence eût étouffé. Il fut donc très heureux de trouver Béatrice et de l'aimer.

Ce bonheur d'aimer qu'elle n'avait jamais rencontré — le commun des mortels considérant l'amour comme une catastrophe s'il n'est pas aussitôt partagé — étonnait Béatrice. Etonner Béatrice faisait gagner quinze jours — ce que la beauté d'Edouard n'eût peut-être pas obtenu. Béatrice, sans être froide, n'avait pas beaucoup de goût pour l'amour physique. Elle considérait néanmoins que c'était une chose saine, et avait même cru un moment être une femme dominée par les sens, ce dont elle s'était autorisée pour tromper son mari. Les difficultés de l'adultère étant fort réduites dans son milieu, elle joua vite à la rupture cruelle et nécessaire, ce qui fit beaucoup souffrir son amant et agaça son mari, à qui elle avait tout avoué selon les règles de l'acte III. Doté de quelque bon sens, étant de plus un estimable négociant, l'époux de Béatrice avait en effet trouvé absurde qu'elle lui avouât un amant en même temps que sa décision de s'en séparer. « Autant se taire », pensait-il, tandis que Béatrice, non maquillée, s'accusait d'une voix monocorde.

Edouard Maligrasse, donc, présentait à la sortie des artistes, à la porte du coiffeur, à la loge de la concierge un visage radieux. Il ne doutait pas d'être aimé un jour, et il attendait patiemment que Béatrice lui donnât ce qu'il croyait en être la preuve. Malheureusement, Béatrice s'habituait à cet amoureux platonique et rien n'est plus difficile à changer que cette habitude, chez une femme sans tête surtout. Vint un soir où Edouard ramena Béatrice devant chez elle et lui demanda de monter prendre un dernier verre. Il faut dire à la décharge d'Edouard qu'il ignorait tout du sens rituel de cette phrase. Simplement, il avait soif, ayant beaucoup parlé de son amour, et pas un centime pour rentrer. La marche assoiffée du retour lui faisait peur.

« Non, mon petit Edouard, dit Béatrice avec tendresse, non. Il vaut mieux que vous rentriez.

— Mais c'est que j'ai affreusement soif, répéta Edouard. Je ne vous demande pas un whisky mais simplement un verre d'eau. »

Il ajouta pudiquement :

« Et je crains que les cafés ne soient fermés à cette heure-ci. »

Ils se regardèrent. Le réverbère seyait à Edouard, accusant la finesse de ses traits. De plus il faisait froid et Béatrice n'envisageait pas sans un certain plaisir de se refuser à Edouard au coin de sa cheminée dans une belle scène pleine de désinvolture et d'élégance. Ils montèrent donc. Edouard ralluma le feu, Béatrice prépara un plateau. Ils s'installèrent au coin de la cheminée, Edouard prit la main de Béatrice et la baisa ; il commençait à comprendre qu'il se trouvait dans la place. Et il tremblait un peu.

« Je suis heureuse que nous soyons amis, Edouard », commença Béatrice rêveusement.

Il embrassa la paume de sa main.

« Voyez-vous, continua-t-elle, dans ce milieu de théâtre — que j'aime car c'est mon milieu —, il y a une telle majorité de gens, je ne dirai pas cyniques, mais sans réelle jeunesse, vous êtes jeune, Edouard, il faut que vous le restiez. »

Elle parlait avec une gravité charmante. Edouard Maligrasse se sentait en effet très jeune; les joues en feu, il appuyait sa bouche sur le poignet de Béatrice.

« Laissez-moi, dit-elle tout à coup, il ne faut pas. J'ai confiance en vous, vous le savez. »

Eût-il eu quelques années de plus, Edouard aurait insisté. Mais il ne les avait pas et cela le sauva. Il se leva, s'excusa presque et se dirigea vers la porte. Béatrice perdait sa scène, son rôle élagant, elle allait s'ennuyer, elle n'avait plus sommeil. Une seule réplique pouvait la sauver. Elle la dit :

« Edouard. »

Il se retourna.

« Revenez. »

Et elle lui tendit les mains, comme une femme qui s'abandonne. Edouard les serra longuement, puis, heureusement emporté par son âge, saisit Béatrice dans ses bras, chercha sa bouche, la trouva, gémit un peu de bonheur car il aimait Béatrice. Tard dans la nuit, il chuchotait encore des mots d'amour, la tête sur la poitrine de Béatrice qui dormait et qui ne savait pas de quels rêves et de quelles attentes se levaient ces mots.

5

EN se réveillant aux côtés de Béatrice, Edouard éprouva un de ces mouvements de bonheur dont on sait, sur le coup, qu'ils justifient votre vie, et dont on se dit sûrement, plus tard, lorsque la jeunesse fait place à l'aveuglement, qu'ils l'ont perdue. Il se réveilla, vit près de lui, découpée par ses cils, l'épaule de Béatrice, et la mémoire, cette insatiable, qui encombre jusqu'à nos rêves et nous saute à la gorge dès le réveil, lui revint. Il fut heureux et tendit la main vers le dos nu de Béatrice. Or Béatrice savait le sommeil indispensable à son teint, et les seules choses naturelles et pures chez elle étaient la faim, la soif, le sommeil. Elle se poussa à l'autre bout du lit. Et Edouard se retrouva seul.

Il était seul. Des souvenirs tendres

encombraient encore sa gorge. Mais il devinait peu à peu devant ce sommeil, devant cette dérobade, la grande dérobade des amours. Il avait peur. Il eût aimé retourner Béatrice de son côté, mettre sa tête contre son épaule, la remercier. Mais il y avait ce dos obstiné, ce sommeil triomphant. Alors, par-dessus le drap, il caressa d'un geste déjà résigné ce long corps faussement généreux.

C'était un réveil symbolique mais Edouard ne le prit pas ainsi. Il ne put, dès ce moment-là, savoir que sa passion pour Béatrice se résumerait à ceci : un regard fixé sur un dos. Les symboles, on les fait soi-même, et à contretemps quand les choses vont mal. Il n'était pas comme Josée qui se réveillait au même moment, regardait le dos de son amant, dur et lisse dans l'aube, et souriait avant de se rendormir. Josée était bien plus vieille qu'Edouard.

Dès lors la vie s'installa tranquillement pour Béatrice et lui. Il allait la chercher à son théâtre, essayait de déjeuner avec elle quand elle le voulait bien. Béatrice avait en effet un culte pour les déjeuners de femmes, ayant lu d'une part que ça se pratiquait couramment aux U.S.A., pensant d'autre part que l'on apprend beaucoup de ses aînées. Elle déjeunait donc souvent avec de vieilles actrices qui jalousaient sa renommée naissante et l'eussent conduite par leurs réflexions jusqu'au complexe d'infériorité si elle n'eût été de marbre.

La renommée n'est pas une chose qui éclate mais qui s'insinue. Elle se traduit un jour ou l'autre par un fait que l'intéressé considère comme marquant, et qui fut pour Béatrice une proposition d'André Jolyau, directeur de théâtre, gastronome, et autres vertus. Il lui proposait un assez grand rôle dans sa prochaine production, en octobre, et de plus sa villa dans le Midi, pour l'apprendre.

Béatrice voulut téléphoner à Bernard. Elle le considérait comme « un garçon intelligent », bien que Bernard eût déjà décliné plusieurs fois cette figuration. On la surprit en lui disant que Bernard se trouvait à Poitiers : « Mais que faire à Poitiers ? »

Elle téléphona à Nicole. Celle-ci avait la voix brève. Béatrice se renseigna :

« Il paraît que Bernard est à Poitiers ? Que se passe-t-il ?

— Je ne sais pas, disait Nicole, il travaille.

— Mais depuis combien de temps?

— Deux mois », dit Nicole, et elle éclata en sanglots.

Béatrice fut bouleversée. Elle disposait encore d'une certaine bonté. Et son imagination lui représentait un Bernard amoureux fou de la femme du maire de Poitiers, car autrement comment supporter la province ? Elle prit rendez-vous avec la pauvre Nicole, puis se trouva invitée par André Jolyau et, n'osant se décommander, téléphona à Josée.

Josée était en train de lire chez elle, dans cet appartement où elle se sentait mal et où le téléphone l'excédait et la soulageait à la fois. Béatrice lui expliqua la situation en l'aggravant. Et Josée n'y comprit rien, car elle avait reçu la veille une fort belle lettre de Bernard, disséquant tranquillement son amour pour elle, et elle ne voyait pas dans tout cela le rôle de la dame de Poitiers. Elle promis d'aller chez Nicole, et s'y rendit, car elle faisait en général ce qu'elle disait.

Nicole avait grossi. Josée le remarqua en entrant. Le malheur fait grossir nombre de femmes, la nourriture les rassurant sur leur instinct vital. Josée expliqua qu'elle venait à la place de Béatrice, et Nicole, que Béatrice terrorisait et qui regrettait amèrement sa crise de larmes, fut très soulagée. Josée était mince, avec un visage mobile, adolescent, et des gestes de voleur. Elle paraissait à Nicole, qui ne pouvait deviner sa grande aisance, encore plus gauche qu'elle-même devant la vie.

« Allons-nous à la campagne ? » proposa Josée.

Elle conduisait bien, vite, une grosse voiture américaine. Nicole était tapie à l'autre bout. Josée était partagée entre l'ennui et le sentiment obscur de remplir un devoir. Elle se rappelait encore la lettre de Bernard :

« Josée, je vous aime, c'est assez affreux pour moi. J'essaie de travailler ici, je n'y parviens pas. Ma vie est un lent vertige sans musique ; je sais que vous ne m'aimez pas et pourquoi m'aimeriez-vous ? C'est incestueux, nous sommes « pareils ». Je vous écris ceci parce que ce n'est plus important. Je veux dire, ce n'est plus important de vous écrire ou pas. Ce sont les seuls bienfaits de la solitude, on s'accepte, on renie une certaine forme de vanité. Il y a cet autre garçon, bien sûr, et je ne l'aime pas. » Etc.

Elle se rappelait à peu près chaque phrase. Elle les avait lues pendant le petit déjeuner, tandis que Jacques lisait, lui, *Le Figaro* auquel le père de Josée l'avait abonnée. Elle avait reposé la lettre sur la table de chevet, avec un affreux sentiment de gâchis. Jacques s'était levé en sifflotant et en déclarant, comme tous les matins, que les journaux n'avaient aucun intérêt, et elle ne s'expliquait pas ce soin maniaque qu'il mettait à les lire. « Peut-être a-t-il assassiné une rentière », avait-elle pensé en riant. Puis il avait pris sa douche, était ressorti de la salle de bains avec son duffle-coat, et l'avait embrassée avant de partir pour son cours. Elle s'étonnait qu'il ne lui parût pas encore insupportable.

« Je connais une auberge où il y a un feu de bois », dit-elle pour se délivrer du silence de Nicole.

Que pouvaient-elle lui dire ? « Votre mari m'aime, je ne l'aime pas, je ne vous le prendrai pas et ça lui passera. » Mais il lui eût semblé trahir l'intelligence de

Bernard. Et vis-à-vis de Nicole toute explication ressemblait à une exécution.

Elles déjeunèrent en parlant de Béatrice. Puis des Maligrasse. Nicole était persuadée de leur amour réciproque, de leur fidélité et Josée ne la détrompa pas sur ce dernier point. Elle se sentait bonne et lasse. Pourtant Nicole avait trois ans de plus qu'elle. Mais elle ne pouvait rien pour elle. Rien. Il est vrai qu'il y a une forme de bêtise féminine réservée aux hommes. Josée en venait peu à peu à s'énerver, à mépriser Nicole. Ses hésitations devant le menu, son regard affolé. Au café; il y eut un long silence que Nicole rompit abruptement :

« Bernard et moi, nous attendons un enfant.

— Je croyais... », dit Josée.

Elle savait que Nicole avait déjà fait deux fausses couches et qu'il lui était expressément recommandé de ne pas avoir d'enfants.

« J'en voulais un », dit Nicole.

Elle avait la tête baissée, l'air obstiné. Josée la considérait avec stupeur.

« Bernard le sait ?

— Non. »

« Mon Dieu, pensait Josée, ça doit être

là la femme biblique et normale. Celle qui pense qu'il suffit d'un enfant pour rattraper un homme et qui le met dans cette situation horrible. Je ne serai jamais une femme biblique. En attendant, celle-ci doit être trop malheureuse. »

« Il faut lui écrire, dit Josée fermement.

— Je n'ose pas, dit Nicole. Je veux être sûre d'abord... qu'il n'arrivera rien.

— Je crois que vous devriez lui dire. »

S'il se passait ce qui s'était passé les autres fois et que Bernard ne fût pas là... Josée était blême de peur. Elle imaginait mal Bernard en père. En revanche Jacques... oui. Jacques aurait à son chevet l'air gêné et un petit sourire en voyant son enfant. Décidément elle délirait.

« Rentrons », dit-elle.

Elle conduisit doucement jusqu'à Paris. Comme elle prenait les Champs-Elysées, la main de Nicole agrippa la sienne.

« Ne me ramenez pas tout de suite », dit-elle.

Il y avait une telle suppplication dans sa voix que Josée comprit subitement ce qu'était sa vie : cette attente solitaire, cette peur de mourir, ce secret. Elle en eut affreusement pitié. Elles entrèrent dans un cinéma. Au bout de dix minutes, Nicole se leva en chancelant et Josée la suivit. Les lavabos étaient sinistres. Elle soutenait Nicole tandis qu'elle vomissait, tenait son front moite dans sa main, se sentait soulevée d'horreur et de compassion. En rentrant, elle trouva Jacques, qui, au récit de sa journée, manifesta quelques sentiments, l'appela même « ma pauvre vieille ». Puis il lui proposa de sortir, délaissant pour une fois ses cours de médecine.

6

JOSÉE essaya deux jours durant de joindre Bernard au téléphone pour lui dire de revenir. Bernard se faisait écrire poste restante. Elle essaya en vain d'envoyer Nicole à Poitiers, mais Nicole s'y refusa obstinément ; elle éprouvait maintenant des douleurs ininterrompues qui achevèrent d'affoler Josée. Elle décida donc d'aller chercher Bernard avec sa voiture et demanda à Jacques de l'accompagner. Ce dernier refusa à cause de ses cours.

« Mais nous en avons pour la journée, aller et retour, insistait Josée.

— Justement. C'est pas long. »

Elle avait envie de le battre. Il était si parfaitement décidé, toujours si simplifié, qu'elle aurait donné cher pour lui voir une seconde perdre contenance, se troubler, se défendre. Il la prenait par l'épaule avec autorité :

« Tu conduis bien, tu aimes bien être seule. Et puis il vaut mieux que tu voies ce type tout seul. Ça ne me regarde pas, moi, ses histoires avec sa femme. Ce sont celles avec toi qui me regardent. »

Il avait battu des paupières à la dernière phrase.

« Oh ! tu sais, dit-elle, il y a longtemps que...

— Je ne sais rien, dit-il. Si je sais quelque chose, je m'en vais. »

Elle regardait avec stupéfaction et un vague sentiment qui ressemblait à l'espoir.

« Tu serais jaloux ?

— Il ne s'agit pas de ça. Je ne partage pas. »

Il la tira vers lui brusquement et lui embrassa la joue. La gaucherie de son geste fit que Josée passa les bras autour de sa nuque et se serra contre lui. Elle embrassait son cou, l'épaule de son gros chandail, en souriant un peu et en répétant : « Tu partirais, tu partirais ? » d'une voix pensive. Mais lui ne bougeait pas, ne disait rien, elle avait l'impression de s'être éprise d'un ours croisé dans une forêt, un ours qui l'aimait peut-être mais ne pouvait le lui dire, condamné au silence animal.

« Ça va », dit enfin Jacques en grognant.

Elle partit, seule donc, au volant de sa voiture, un matin de bonne heure, et roula lentement dans la campagne dénudée de l'hiver. Il faisait très froid et un soleil pâle, étincelant, luisait sur les champs rasés. Elle avait baissé la capote de sa voiture, remonté le col du chandail qu'elle avait emprunté à Jacques et le froid lui durcissait le visage. La route était déserte. A onze heures, elle s'arrêta au bord d'un chemin, sortit ses mains gelées de ses gants et alluma une cigarette, la première depuis son départ. Elle resta un instant immobile, la tête renversée sur le dossier de la voiture, les yeux fermés, aspirant lentement la fumée. Malgré le froid, elle sentait la présence du soleil sur ses paupières. Le silence était complet. En rouvrant les yeux, elle vit un corbeau s'abattre sur le champ le plus proche.

Elle sortit de la voiture, s'engagea dans le chemin, entre les champs. Elle marchait du même pas qu'à Paris, à la fois nonchalant et inquiet. Elle dépassa une ferme, quelques arbres, le chemin continuait toujours dans la plaine droite, à perte de vue. Elle se retourna au bout d'un moment et vit encore sa voiture noire et fidèle, sur la route. Elle revint plus lentement. Elle était bien. « Il y a sûrement une réponse, dit-elle à voix haute, et même s'il n'y en a pas... » Le corbeau s'envola en croassant. « J'aime ces trêves », dit-elle encore à voix haute et elle jeta le bout de sa cigarette par terre, l'écrasa du pied, soigneusement.

Elle arriva vers six heures à Poitiers, et il lui fallut longtemps pour trouver l'hôtel de Bernard. Le hall prétentieux et sombre de *L'Ecu de France* lui parut sinistre. On la mena à la chambre de Bernard par un long couloir couvert d'un tapis en corde beige où ses pieds accrochaient. Bernard écrivait le dos tourné à la porte, et il dit juste « entrez », d'une voix distraite. Etonné par le silence, il se retourna. Alors seulement elle pensa à sa lettre et à ce que pouvait signifier sa présence pour lui. Elle recula. Mais Bernard disait : « Vous êtes venue ! » et il tendait les mains vers elle et son visage changeait de telle façon que Josée eut le temps de penser vaguement : « C'est donc ça le visage d'un homme heureux. » Il la tenait contre lui, il promenait sa tête dans ses cheveux avec une lenteur déchirante et elle restait pétrifiée, sans autre pensée que : « Il faut le détromper, c'est odieux, il faut lui dire. » Mais il parlait déjà et chacun de ses mots devenait un obstacle à la vérité :

« Je n'espérais pas, je n'osais pas. C'est trop beau. Comment ai-je pu vivre ici si longtemps sans vous ? C'est étrange, le bonheur...

— Bernard, dit Josée, Bernard.

— Vous savez, c'est drôle parce qu'on n'imagine pas que ce soit comme ça. Je pensais que c'était quelque chose de violent, que je vous accablerais de questions, et puis c'est comme si j'avais retrouvé quelque chose de très connu. Quelque chose qui me manquait, ajouta-t-il.

— Bernard, il faut que je vous dise... »

Mais elle savait déjà qu'il l'interromprait et qu'elle se tairait :

« Ne me dites rien. C'est la première chose vraie qui m'arrive depuis si longtemps. »

« C'est probablement exact, pensait Josée. Il a une femme qui l'aime vraiment, qui est vraiment en danger, il est au bord d'un vrai drame, mais la seule vérité pour lui, c'est cette erreur qu'il commet, que je lui laisse commettre. Un vrai bonheur, une fausse histoire d'amour. On n'achève pas les chevaux. » Et elle renonça à parler. Elle pouvait se taire car ce qu'elle ressentait n'était ni de la pitié, ni de l'ironie, mais une immense complicité. Un jour, sans doute, elle se tromperait comme lui, et comme lui elle jouerait au bonheur avec un faux partenaire.

Il l'emmena prendre un blanc-cassis au café du Commerce. Il lui parlait d'elle, de lui, il parlait bien. Il y avait longtemps qu'elle n'avait pas parlé à quelqu'un. Elle était la proie d'une grande lassitude, d'une grande tendresse. Poitiers s'était refermé sur elle : la place jaune et grise, les rares passants vêtus de noir, les regards curieux de quelques clients, et les platanes ruinés par l'hiver, tout cela appartenait à un monde absurde qu'elle avait toujours connu et qu'il fallait bien retrouver cette fois encore. Cette nuit-là, près de Bernard endormi, ce long corps indifférent l'encombrant un peu, ainsi que le bras possessif posé sur ses épaules, elle regarda longtemps les phares des voitures sur les fleurs du mur. Tranquille. Dans deux jours elle dirait à Bernard de rentrer. Elle lui accordait deux jours de sa propre vie, deux jours heureux. Et sans doute cela lui coûterait cher, à elle comme à lui. Mais elle pensait que Bernard avait dû rester de longues nuits ainsi, à regarder ces phares et ces grosses fleurs laides, trop dessinées. Et qu'elle pouvait prendre le relais. Même si c'était par les miséricordieuses voies du mensonge.

7

ANDRE JOLYAU avait décidé de faire sa maîtresse de Béatrice. Il avait reconnu chez elle d'une part le talent, d'autre part cette opacité cruelle de l'ambition et les deux l'intéressaient. Enfin il était sensible à la beauté de Béatrice et l'idée de leur couple satisfaisait chez lui un sens esthétique perpétuellement en éveil. A cinquante ans, il était mince jusqu'à la sécheresse, avec une expression sarcastique un peu rebutante, et de faux gestes de jeune homme qui lui avaient valu un moment une réputation de pédéraste, à demi usurpée, le sens de l'esthétique conduisant parfois, on le sait, à de regrettables écarts ; André Jolyau était un de ces hommes dits « pittoresques » parce qu'ils pratiquent la demi-indépendance, la demi-insolence dans le milieu des arts.

Il eût été parfaitement insupportable sans une constante ironie envers lui-même et une réelle générosité matérielle.

Conquérir Béatrice par la voie de l'ambition lui eût été facile. Il connaissait trop ce genre de marchés tacites pour que cela l'amusât. Il décida d'entrer dans une des pièces intérieures de Béatrice et d'y jouer son rôle, qu'il prévoyait comme celui du Mosca de *La Chartreuse de Parme,* mais un Mosca victorieux. Bien sûr, il n'avait pas la grandeur de Mosca, ni Béatrice celle de la Sanseverina, et seul peut-être ce petit Edouard Maligrasse avait quelque chose du charme de Fabrice. Mais que lui importait ? Il aimait les sujets médiocres. Et ce n'était plus que rarement qu'il retrouvait, devant la médiocrité allègre de sa vie, un grand désespoir domestiqué.

Béatrice donc se trouva prise entre la puissance et l'amour, ou plutôt entre deux images d'Epinal de la puissance et de l'amour. D'un côté Jolyau, ironique, compromettant, spectaculaire, de l'autre Edouard, tendre, beau, romanesque. Elle fut enthousiasmée. La cruauté de ce choix lui faisait une vie merveilleuse, encore qu'elle fût parfaitement décidée en faveur de Jolyau, pour des raisons toutes professionnelles. Cela lui fit prodiguer à Edouard des attentions et des marques d'affection dont il eût dû certainement se passer s'il avait été seul maître du terrain, la vie redonnant d'une main ce qu'elle reprend de l'autre.

Jolyau avait donc accordé sans aucune condition le rôle principal de sa prochaine pièce à Béatrice. Il l'avait même complimentée sur la beauté d'Edouard et n'avait d'aucune manière précisé ses intentions. Mais il avait clairement laissé entendre que si jamais Béatrice quittait Edouard, lui-même serait heureux de sortir avec elle. Cela paraissait un simple espoir courtois, mais c'était plus, car il savait bien que les femmes du style de Béatrice ne quittent un homme que pour un autre. Béatrice, d'abord ravie de ce rôle, fut vite énervée puis inquiète de l'imprécise cour de Jolyau. L'amour d'Edouard devenait fade devant l'indifférence aimable de Jolyau. Elle aimait vaincre.

Jolyau l'emmena un soir dîner à Bougival. C'était une nuit moins fraîche que les autres, et ils se promenèrent à pied sur la berge. Elle avait dit à Edouard qu'elle dînait chez sa mère — protestante austère qui appréciait mal les incartades de sa fille. Ce mensonge, qui lui coûtait pourtant aussi peu que pouvait lui coûter un mensonge, l'avait excédée. « Je n'ai de comptes à rendre à personne », pensait-elle avec agacement, en mentant à Edouard. Edouard, d'ailleurs, ne demandait pas qu'elle lui rendît des comptes, il demandait seulement qu'elle le laissât être heureux et il était tout bonnement déçu de ne pas dîner avec elle. Mais elle lui prêta des soupçons, de la jalousie. Elle ne pouvait pas savoir qu'il l'aimait, et avec cette immense confiance des jeunes amours.

Jolyau lui tenait le bras en marchant, tout en l'écoutant d'une oreille distraite commenter le charme des péniches. Si, avec Edouard, Béatrice jouait volontiers la femme fatale un peu blasée, elle aimait assez, en revanche, faire l'enfant enthousiaste avec Jolyau :

« Que c'est beau ! disait-elle donc. Personne n'a su parler de la Seine et de ses péniches, vraiment, Verlaine peut-être...

— Peut-être bien... »

Jolyau était ravi. Il voyait Béatrice partir dans une de ses longues effusions poétiques. « Peut-être, après tout, ne la poursuis-je que parce qu'elle me fait rire », pensa-t-il ; et cette idée le réjouit.

« Quand j'étais jeune... (Béatrice attendit un rire — qui vint), quand j'étais toute petite, reprit-elle, je marchais ainsi le long de l'eau, et je me disais que la vie était pleine de choses belles et j'étais moi-même pleine d'enthousiasmes. Me croiriez-vous, il m'en est resté.

— Je vous crois, dit Jolyau, de plus en plus content.

— Et pourtant... à notre époque, qui s'intéresse encore aux péniches, et qui s'enthousiasme ? Ni notre littérature, ni notre cinéma, ni notre théâtre... »

Jolyau hocha la tête sans répondre.

« Je me souviens qu'à dix ans, commença Béatrice rêveusement... Mais que vous importe mon enfance ! » s'interrompit-elle.

La brusquerie de l'attaque laissa Jolyau désarmé. Il eut une seconde de panique.

« Parlez-moi plutôt de la vôtre, dit Béatrice. Je vous connais si mal. Vous êtes une sorte d'énigme pour ceux qui vous entourent... »

Jolyau chercha désespérément un souvenir d'enfance mais sa mémoire le trahit.

« Je n'ai pas eu d'enfance, dit-il d'un air pénétré.

— Vous avez des phrases terribles », dit Béatrice et elle lui serra le bras.

L'enfance de Jolyau en resta là. Celle de Béatrice en revanche s'enrichit de nombreuses anecdotes où perçaient l'ingénuité, la sauvagerie, le charme de Béatrice-enfant. Elle s'attendrissait visiblement. Sa main et celle de Jolyau finirent par se retrouver dans la poche de ce dernier.

« Vous avez la main fraîche », dit-il paisiblement.

Elle ne répondit pas, s'appuya un peu contre lui. Jolyau la vit prête et se demanda un instant s'il la désirait, tant cette constatation l'intéressait peu. Il la ramena à Paris. Dans la voiture, elle avait appuyé la tête sur son épaule, le corps contre le sien. « L'affaire est faite », pensait Jolyau avec une certaine fatigue et il la ramena chez elle, car c'était chez elle qu'il voulait passer leur première nuit. Comme beaucoup de gens un peu fatigués, il recherchait surtout dans ses aventures le dépaysement. Seulement, devant la porte cochère, le silence et l'immobilité persistante de Béatrice lui apprirent qu'elle dormait. Il la réveilla doucement, lui baisa la main et la posa dans son ascenseur avant qu'elle ait repris ses esprits. Devant le feu éteint, elle retrouva Edouard qui dormait, le col de sa chemise défait, son long cou de fille en émergeant doré, et elle eut une seconde les larmes aux yeux. Dépitée parce qu'elle ne savait toujours pas si Jolyau tenait à elle, dépitée parce qu'elle trouvait Edouard beau et que ça lui était profondément égal ailleurs que dans les restaurants. Elle l'éveilla. Il lui dit qu'il l'aimait, en des phrases tièdes, arrachées au sommeil et qui ne la consolèrent pas. Quand il voulut la rejoindre, elle prétexta une migraine.

Cependant Jolyau, allègre, rentrait à pied chez lui, suivait une femme, et entrant dans un bar y retrouvait pour la première fois depuis qu'il le connaissait, c'est-à-dire près de vingt ans, Alain Maligrasse ivre mort.

Après la première soirée passée avec Béatrice, Alain Maligrasse avait décidé qu'il ne la reverrait plus, qu'il n'était pas supportable d'aimer quelqu'un à ce point différent de soi, à ce point fermé, et que le travail saurait le sauver. L'absence de Bernard lui donnait de plus un surcroît de travail. Il essaya donc, discrètement soutenu par les conseils de Fanny, d'oublier Béatrice. Naturellement il n'y parvint pas. Il savait trop bien que les passions sont, quand elles existent, le sel de la vie, et qu'on ne peut, sous leur règne, se passer de sel — ce qu'on fait pourtant si bien le reste du temps. Néanmoins il se garda de la revoir. Il se borna à attirer le plus possible Edouard chez lui, prenant un plaisir affreux à tous ses signes de bonheur. Il en inventa même. Une coupure de rasoir sur le cou d'Edouard devenait une morsure tendre de Béatrice — car il ne l'imaginait que voluptueuse, malgré un rire involontaire de Bernard — et les yeux cernés, l'air las de son neveu lui étaient autant de prétextes à souffrir. Il passait de longues heures à son bureau à feuilleter les manuscrits nouveaux, à rédiger des notes, à établir des fiches. Il posait la règle sur le carton, soulignait le titre à l'encre verte et s'arrêtait subitement, la ligne verte déraillant, la fiche à refaire, le cœur battant. Car il se rappelait une des phrases de Béatrice au cours de ce fameux dîner. Puis il mettait la fiche au panier et recommençait. Dans la rue, il se heurtait aux passants, ne saluait plus ses amis, devenait peu à peu l'intellectuel distrait et charmant que chacun avait toujours attendu en lui.

Il lisait le journal à la page Spectacles, d'abord parce qu'il espérait y entendre parler de Béatrice — ce qui commençait à se produire — ensuite parce que, descendant distraitement les yeux le long des réclames de théâtre, il finissait toujours par arriver au grand placard de l'Ambigu et, sous le titre en petites lettres, au nom de Béatrice. Il relevait les yeux aussitôt comme pris en faute et regardait sans les voir les habituels ragots des journalistes spécialisés. La veille du jour où il rencontra Jolyau, il avait lu « relâche le mardi » et le cœur lui avait manqué. Il savait qu'il pouvait voir Béatrice tous les soirs, dix minutes, sur la scène. Il y avait toujours résisté. Mais cette menace de relâche le brisa. Il n'y aurait sans doute pas été ce soir-là mais il n'y pensa même pas. Béatrice... belle et violente Béatrice... il se cacha les yeux. Il n'en pouvait plus. En rentrant chez lui, il trouva Edouard et apprit que Béatrice dînait chez sa mère. Mais cette nouvelle ne consola pas Alain. Le mal était fait, il avait compris à quel point il était atteint. Il prétexta un dîner, traîna lamentablement autour du Flore, rencontra deux amis qui ne lui furent d'aucun secours mais qui, voyant sa pâleur, le poussèrent à boire un, puis deux whiskies. Il n'en fallait pas plus au foie fatigué de Maligrasse. Il continua à boire et à minuit se retrouva à côté de Jolyau dans un bar louche de la Madeleine.

L'état d'Alain ne faisait aucun doute. De plus l'alcool lui allait mal. Dans son visage pâle trop fin, aux paupières gonflées, le frémissement des traits devenait indécent. Jolyau, après lui avoir serré la main avec effusion, s'étonna. Il n'imaginait pas que Maligrasse pût s'enivrer seul dans un bar à filles. Il aimait bien Alain, se sentit pris entre la curiosité, le sadisme et l'amitié et, par conséquent, intéressé, puisqu'il n'aimait que les sentiments partagés.

Ils en vinrent tout naturellement à parler de Béatrice.

« Je crois que tu engages Béatrice dans ton prochain spectacle », dit Alain.

Il était assez heureux. Epuisé et heureux. Le bar tournait autour de lui. Il en était à ce stade de l'amour — et de l'alcool — où l'on est comme envahi par soi-même et où l'on se passe fort bien de « l'autre ».

« Je viens de dîner avec elle », dit Jolyau.

« Ainsi elle ment », pensa Maligrasse, se souvenant de ce que lui avait dit Edouard.

Il était à la fois content, car ce mensonge lui faisait comprendre qu'elle n'aimait pas vraiment Edouard, et déçu. Que Béatrice soit menteuse la lui rendait plus inaccessible encore, car elle n'aurait jamais pu être à lui, il le savait, que pour des raisons de très bonne qualité. Et elle n'était donc pas de très bonne qualité. Néanmoins son premier sentiment fut le soulagement.

« C'est une fille bien, dit-il, charmante.

— Elle est belle, dit Jolyau avec un petit rire.

— Belle et violente », dit Alain retrouvant sa formule, et il le dit sur un tel ton que Jolyau se retourna vers lui.

Il y eut un instant de silence qu'ils mirent à profit pour se regarder et penser chacun qu'ils ne savaient rien l'un de l'autre malgré leur tutoiement et leurs claques dans le dos.

« J'ai un faible pour elle, dit Alain piteusement, sur un ton qu'il eût voulu léger.

— C'est bien naturel », dit Jolyau.

Il avait envie de rire et de consoler Alain. Son premier réflexe avait été . « Mais ça devrait pouvoir s'arranger. » Aussitôt il avait compris que ce n'était pas vrai. Béatrice se fût plus facilement donnée à un vieillard borgne. En amour aussi, on ne prête qu'aux riches et Alain se sentait pauvre. Jolyau commanda deux nouveaux scotchs. Il sentait que la nuit serait longue et s'en réjouissait. Il aimait cela plus que tout : un visage changé, un verre si lisse dans sa main, le ton bas des confidences, les nuits étirées jusqu'à l'aube, la fatigue.

« A mon âge, que puis-je faire ? » dit Alain.

Jolyau tiqua et répondit : « Tout »,

d'une voix décisive. C'était en effet « leur » âge.

« Ce n'est pas quelqu'un pour moi, dit Alain.

— Personne n'est jamais pour personne, dit Jolyau au hasard.

— Si. Fanny était pour moi. Mais là, tu sais, c'est affreux. Cette obsession. Je me sens podagre, ridicule. Seulement, c'est la seule chose vivante. Tout le reste...

— Tout le reste est littérature, dit Jolyau avec un petit rire. Je sais. L'ennui pour toi, c'est que Béatrice n'est pas intelligente. Elle est ambitieuse, remarque, c'est déjà ça, à une époque où les gens ne sont rien.

— Je pourrais, reprit Alain, lui apporter quelque chose qu'elle ne connaît sans doute pas. Tu sais, la confiance, les égards, une certaine finesse enfin... Oh ! et puis... »

Devant le regard de Jolyau, il s'arrêta, fit un geste vague de la main qui projeta un peu de whisky sur le sol. Il s'excusa aussitôt près de la patronne. Jolyau se sentait pris de pitié.

« Essaie, mon vieux. Explique-le-lui. Au moins, si elle te dit « non », les ponts seront coupés. Et tu le sauras.

— Lui dire maintenant ? Alors qu'elle aime mon neveu ? Ce serait sacrifier ma seule chance, si j'en ai une.

— Tu te trompes. Il y a des gens dont on peut dire qu'il y a un temps pour les séduire. Ce n'est pas le cas de Béatrice. Elle choisit elle-même et le moment n'a rien à y voir. »

Maligrasse se passa la main dans les cheveux. Comme il en avait peu, cela fit un geste pauvre. Jolyau cherchait vaguement un ténébreux moyen de livrer Béatrice à ce cher vieux Maligrasse, après qu'il l'eut possédée lui-même, bien entendu. Il n'en trouva pas, et commanda deux nouveaux verres. Cependant Maligrasse parlait de l'amour ; une fille l'écoutait et approuvait de la tête. Jolyau, qui la connaissait bien, lui recommanda Alain et les quitta. Sur les Champs-Elysées, l'aube était blême et mouillée et le premier parfum de Paris, un parfum de campagne, le fit s'arrêter un instant, respirer longuement avant d'allumer une cigarette. Il murmura « charmante soirée », en souriant, puis il partit d'un pas de jeune homme vers son logis.

8

« JE te téléphonerai demain », dit Bernard.

Il passait la tête par la portière. Il devait ressentir un vague soulagement de leur séparation, comme il arrive dans les passions les plus extrêmes. On se quitte, on va enfin avoir le temps d'être heureux. Josée lui sourit. Elle retrouvait la nuit sur Paris, le bruit des voitures, et sa propre vie.

« Dépêche-toi », dit-elle.

Elle le regarda franchir la porte de son immeuble et démarra. Elle lui avait dit, la veille, le danger que courait Nicole, qu'il fallait rentrer. Elle attendait un sursaut, une grande peur, mais la seule réaction de Bernard avait été :

« Est-ce pour cela que tu es venue ? »

Elle avait dit « non ». Et elle ne savait

plus jusqu'à quel point c'était par lâcheté. Peut-être avait-elle, autant que Bernard, le désir de protéger ces trois jours gris de Poitiers et leur bizarre douceur : promenades lentes dans la campagne gelée, longs dialogues, absence de phrases, gestes tendres de la nuit, tout cela sur ce dénominateur commun de leur erreur, qui rendait tout absurde et étrangement honnête.

Elle rentra dans son appartement vers huit heures. Elle hésita un instant avant de s'enquérir de Jacques auprès de la femme de chambre. Elle apprit qu'il était parti deux jours après son propre départ, en oubliant une paire de chaussures. Josée téléphona à l'ancienne adresse de Jacques mais il avait déménagé ; on ne savait où il était allé. Elle raccrocha. La lumière tombait sur le tapis du trop grand salon, elle se sentait éperdue de lassitude. Elle se regarda dans la glace. Elle avait vingt-cinq ans, trois rides, envie de revoir Jacques. Elle avait vaguement espéré qu'il serait là, dans son duffle-coat et qu'elle pourrait lui expliquer à quel point cette absence avait peu d'importance. Elle téléphona à Fanny, qui l'invita à dîner.

Fanny avait maigri. Alain semblait ailleurs. Josée passa un dîner presque insupportable tant Fanny essayait désespérément de lui donner une tournure mondaine. Enfin, dès le café, Maligrasse se leva, s'excusa, partit se coucher. Fanny résista quelques instants à l'œil interrogateur de Josée, puis se leva et alla arranger quelque chose sur la cheminée. Elle était toute petite.

« Alain a trop bu, hier soir, il faut l'excuser.

— Alain a trop bu ? »

Josée riait. Cela n'allait pas du tout à Alain Maligrasse.

« Ne riez pas, dit Fanny brusquement.

— Excusez-moi », dit Josée.

Fanny enfin lui expliqua que ce qu'on avait cru être la « toquade » d'Alain gâchait leur vie. Josée essaya en vain de lui faire croire à la probable brièveté de cette histoire.

« Il n'aimera pas Béatrice longtemps. Béatrice n'est pas quelqu'un de possible. Elle est charmante mais c'est une personne étrangère aux sentiments. On ne peut pas aimer tout seul très longtemps. Elle ne...? »

Elle n'osait dire : « Elle ne lui a pas

cédé ? » Comment « céder » à quelqu'un d'aussi poli qu'Alain ?

« Non, bien sûr que non, dit Fanny avec colère. Je vous demande pardon de vous parler de ça, Josée. Je me sentais un peu seule. »

A minuit, Josée la quitta. Elle avait eu peur, sans cesse, que Maligrasse, attiré par le bruit de leurs voix, ne revînt. Le malheur lui faisait peur, et la passion impuissante. Elle sortit de là débordée par une affreuse impression de gâchis. Il lui fallait retrouver Jacques. Même pour être battue ou repoussée. N'importe quoi d'autre que ces complications. Elle se dirigea vers le Quartier latin.

La nuit était noire, il pleuvait un peu. C'était affreux, dans Paris, cette recherche absurde où la fatigue le disputait en elle à cette nécessité de retrouver Jacques. Il était quelque part, dans un des cafés du boulevard Saint-Michel, ou chez un ami, ou chez une fille peut-être. Elle ne connaissait plus ce quartier, et la cave où elle se rappelait avoir dansé lors de sa jeunesse estudiantine était maintenant un repaire de touristes. Elle se rendait compte qu'elle ne savait rien de la vie de Jacques. Elle l'avait imaginée comme l'existence type de l'étudiant un peu brutal, qu'il semblait être. A présent, elle recherchait désespérément dans sa mémoire un nom qu'il eût laissé échapper, une adresse. Elle entrait dans les cafés, jetait un coup d'œil et les sifflements des étudiants ou leurs mots lui étaient autant de coups. Depuis longtemps elle ne se rappelait pas avoir vécu un moment aussi angoissé, aussi misérable. Et le sentiment d'inutilité probable de ses recherches, l'idée surtout du visage fermé de Jacques renforçaient son désespoir.

Dans le dixième café, elle le vit. Il lui tournait le dos et jouait au billard électrique. Elle le reconnut aussitôt à la forme de son dos incliné sur la machine et à la nuque droite, envahie de cheveux blonds et rêches. Elle pensa un instant qu'il avait les cheveux trop longs, comme Bernard, que ce devait être le signe des hommes abandonnés. Puis elle ne put se décider à avancer et resta immobile une longue minute, le cœur arrêté.

« Vous désirez quelque chose ? »

La patronne se faisait l'instrument du destin. Josée avança. Elle avait un manteau trop élégant pour l'endroit. Elle en releva le col machinalement et s'arrêta derrière Jacques. Elle l'appela. Il ne se retourna pas aussitôt, mais elle vit une nette rougeur envahir sa nuque puis le coin de sa joue.

« Tu veux me parler ? » dit-il enfin.

Et ils s'assirent sans qu'il l'eût regardée. Il lui demanda encore ce qu'elle voulait boire, d'une voix rauque, puis baissa, définitivement semblait-il, les yeux sur ses mains carrées.

« Il faut que tu essaies de comprendre », dit Josée. Et elle commença son récit d'une voix lasse, parce que tout ceci lui semblait désormais fantomatique et inutile : Poitiers. Bernard, ses réflexions. Elle était en face de Jacques, il était vivant. Il y avait à nouveau devant elle ce bloc compact qui allait décider de son sort et que les mots touchaient à peine. Elle attendait et ses paroles n'étaient qu'un moyen de tromper cette attente.

« Je n'aime pas qu'on se foute de moi, dit Jacques enfin.

— Il ne s'agit pas de ça... », commença Josée.

Il leva les yeux. Ils étaient gris et furieux.

« Il s'agit de ça. Quand on vit avec un type, on ne va pas passer trois jours avec un autre. C'est tout. Ou alors on prévient.

— J'ai essayé de t'expliquer...

— Je me fous de tes explications. Je ne suis pas un petit garçon, je suis un homme. J'étais parti, j'avais même déménagé de chez moi. »

Il ajouta avec un air encore plus furieux :

« Et il n'y a pas beaucoup de filles pour qui j'ai déménagé. Comment m'as-tu trouvé ?

— Il y a une heure que je te cherche dans tous les cafés », dit Josée.

Elle était épuisée et ferma les yeux. Il lui semblait sentir le poids des cernes sur ses joues. Il y eut un instant de silence, puis il demanda d'une voix étouffée :

« Pourquoi ? »

Elle le regarda sans comprendre.

« Pourquoi me cherches-tu depuis une heure ? »

Elle avait refermé les yeux, renversé la tête en arrière. Une veine battait à sa gorge. Elle s'entendit répondre :

« J'avais besoin de toi. »

Et le sentiment que c'était vrai, enfin, lui emplit les yeux de larmes.

Il rentra ce soir-là avec elle. Quand il la prit dans ses bras, elle sut à nouveau ce que c'était qu'un corps, et les gestes et le plaisir. Elle embrassa sa main et s'endormit, la bouche sur sa paume. Il resta éveillé un long moment, puis remit les draps sur les épaules de Josée avec précaution avant de se tourner de l'autre côté.

9

SUR le seuil de sa porte, Bernard trouva deux infirmières qui se croisaient. Il eut le double sentiment d'une catastrophe et de l'impuissance qu'il aurait à la vivre. Il était glacé. Elles lui apprirent que Nicole avait fait une fausse couche l'avant-veille et que, bien qu'elle fût hors de danger, le docteur Marin avait décidé à tout hasard de lui laisser une garde. Elles le dévisageaient, le jugeaient, attendaient sans doute une explication. Mais il les écarta sans un mot et pénétra dans la chambre de Nicole.

Elle avait la tête tournée vers lui dans la demi-pénombre laissée par la lampe basse en porcelaine que lui avait offerte sa mère et dont Bernard n'avait jamais eu le courage de lui dénoncer la laideur. Elle était très pâle, et son visage ne bougea pas quand elle le vit. Elle avait l'expression d'un animal résigné, une expression à la fois obtuse et digne.

« Nicole », dit Bernard.

Il vint s'asseoir sur le lit et saisit sa main. Elle le regardait tranquillement, puis soudain ses yeux se remplirent de larmes. Il la prit dans ses bras avec précaution, et elle laissa tomber sa tête sur son épaule. « Que faire, pensait Bernard, que dire ? Oh ! quel salaud je suis ! » Il caressa sa tête de la main, ses doigts se prenaient dans les cheveux longs. Il se mit à les démêler machinalement. Elle avait la fièvre encore. « Il faut que je parle, pensait Bernard, il faut que je puisse parler. »

« Bernard, dit-elle, notre enfant... »

Et elle se mit à sangloter contre lui. Il sentait les remous de ses épaules dans ses mains. Il disait : « Là, là », d'une voix apaisante. Et subitement il comprit que c'était sa femme, son bien, qu'elle n'était qu'à lui, qu'elle ne pensait qu'à lui, qu'elle avait failli mourir. Que c'était sans doute la seule chose qu'il possédât et qu'il avait failli la perdre. Il fut envahi d'un sentiment de possession et de pitié d'eux-mêmes si déchirant qu'il détourna la tête. « On naît en criant, ce n'est pas pour rien, la suite ne peut être que des atténuations de ce cri. » Cette chose étrange qui lui remontait à la gorge et le laissait sans forces aussi, sur l'épaule de Nicole qu'il n'aimait plus, c'était le retour de ce premier hurlement, à sa naissance. Tout le reste n'avait été que fuites, sursauts, comédies. Il oublia Josée un instant, livré uniquement à son désespoir.

Plus tard, il consola Nicole comme il put. Il fut tendre, lui parla de leur avenir, de son livre dont il lui dit être content, des enfants qu'ils auraient bientôt. Elle voulait appeler celui-là Christophe, lui avoua-t-elle en pleurant encore un peu. Il approuva, proposa « Anne » et elle rit car il est bien connu que les hommes préfèrent avoir des filles. Cependant il cherchait un moyen de téléphoner à Josée le soir même. Il trouva vite un prétexte ; il n'avait plus de cigarettes. Les bureaux de tabac sont d'une utilité bien plus grande qu'on ne l'imagine. La caissière l'accueillit par un joyeux : « Enfin de retour », et il but un cognac sur le zinc avant de demander un jeton. Il allait dire à Josée : « J'ai besoin de vous », et ce serait vrai et ça ne changerait rien. Quand il lui parlait de leur amour, elle lui parlait, elle, de la brièveté des amours. « Dans un an ou deux mois, tu ne m'aimeras plus. » Seule, parmi les gens qu'il connaissait, Josée avait le complet sentiment du temps. Les autres, poussés par un profond instinct, essayaient de croire à la durée, à l'arrêt définitif de leur solitude; et il était comme eux.

Il téléphona et personne ne répondit. Il se rappela une autre nuit où il avait téléphoné pour tomber sur cet affreux type et il eut un petit sourire de bonheur. Josée devait dormir en chien de fusil, la main grande ouverte et retournée, le seul geste dans toute son attitude qui signifiât qu'elle avait besoin de quelqu'un.

Edouard Maligrasse servait le tilleul. Depuis une semaine, pour des raisons de santé, Béatrice buvait du tilleul. Il lui en donna une tasse, puis une tasse à Jolyau qui se mit à rire et déclara que c'était infâme. Sur ce, les deux hommes se servirent un scotch. Béatrice les traita d'alcooliques et Edouard se renversa dans son fauteuil, parfaitement heureux. Ils arrivaient du théâtre où il était allé chercher Béatrice et elle avait invité Jolyau à prendre un dernier verre chez elle. Ils étaient tous les trois au chaud, il pleuvait dehors et Jolyau était drôle.

Béatrice était furieuse. Elle trouvait inadmissible qu'Edouard eût servi le tilleul et joué ainsi le maître de maison. C'était compromettant. Elle oubliait la parfaite connaissance que Jolyau avait de leur liaison. Personne n'est plus soucieux des convenances qu'une femme lassée. Elle oubliait de même qu'elle avait habitué Edouard à ce genre de gestes, le considérant facilement comme un page.

Elle se mit donc à parler de la pièce avec Jolyau, refusant obstinément de mêler Edouard à leur conversation, malgré les efforts de Jolyau. Ce dernier finit par se tourner vers Edouard :

« Comment se portent les Assurances ?

— Très bien », dit Edouard.

Il rougit. Il devait cent mille francs à son directeur, soit deux mois d'appointements, et cinquante mille francs à Josée.

Il essayait de n'y pas penser, mais toute la journée, il avait de sérieuses angoisses.

« C'est ce qu'il me faudrait, disait Jolyau avec inconscience, un travail comme ça. On est tranquille, on n'a pas les incroyables soucis d'argent que donne une pièce à monter.

— Je vous vois mal faisant ce genre de travail, dit Béatrice. Du porte à porte ou presque... »

Elle eut un petit rire insultant à l'égard d'Edouard.

Ce dernier ne bougea pas. Mais la regarda avec stupeur. Jolyau enchaîna :

« Je vendrais très bien des Assurances, vous vous trompez. Toute ma force de persuasion serait utilisée : « Madame, vous avez si mauvaise mine, vous allez mourir, assurez-vous donc, que votre époux puisse se remarier avec un petit pécule. »

Et il éclata de rire. Mais Edouard protestait d'une voix mal assurée :

« De toute manière ce n'est pas exactement ceci que je fais. J'ai un bureau. Où je m'ennuie, ajouta-t-il sur un ton d'excuse pour la prétention apparente de ce « bureau ». Mais en réalité, mon travail consiste à classer...

— André, voulez-vous un peu plus de scotch ? » coupa Béatrice.

Il y eut un instant de silence. Jolyau fit un effort désespéré :

« Non, merci. J'ai vu un très bon film autrefois qui s'appelait *Assurance sur la mort*. L'avez-vous vu ? »

La question s'adressait à Edouard. Mais Béatrice ne se possédait plus. Elle avait envie de voir Edouard s'en aller. Or, de toute évidence, il allait rester puisque toute l'attitude de Béatrice depuis trois mois l'y autorisait. Il allait rester et dormir dans son lit et ça l'ennuyait, elle, à mourir. Elle cherchait à se venger.

« Vous savez, Edouard arrive de province.

— J'ai vu le film à Caen, dit Edouard.

— Ce Caen, quelle merveille ! » reprit-elle avec dérision.

Edouard se leva, pris d'un léger vertige. Il semblait tellement étonné que Jolyau se jura de faire payer cela un jour à Béatrice.

Debout, Edouard hésitait. Il ne pouvait penser que Béatrice ne l'aimait plus, ni même qu'il l'énervait ; c'eût été la ruine de sa vie présente et il n'avait jamais envisagé rien de tel. Il dit néanmoins d'une voix polie :

« Je vous ennuie ?

— Mais pas du tout », répondit Béatrice sauvagement.

Il se rassit. Il comptait sur la nuit et la chaleur du lit pour interroger Béatrice. Ce visage renversé, si beau et si tragique dans la pénombre, ce corps abandonné lui seraient de meilleures réponses. Il aimait Béatrice physiquement, malgré sa demi-froideur. C'est au contraire devant cette froideur, cette immobilité, qu'il trouvait les gestes les plus précautionneux, les plus passionnés. Il demeurait des heures sur son coude, jeune homme épris d'une morte, à la regarder dormir.

Cette nuit-là, elle fut plus lointaine encore que d'habitude. Béatrice n'avait rien à voir avec les remords. C'était son charme. Il dormit très mal et commença de croire à son infortune.

N'étant point sûre des sentiments de Jolyau, Béatrice hésitait à renvoyer Edouard. Personne ne l'avait jamais aimée si éperdument, avec une telle absence de réticence et elle le savait. Néanmoins elle espaça beaucoup leurs rencontres et Edouard se vit livré seul à Paris.

Paris se réduisait jusqu'alors pour lui à deux itinéraires : le trajet entre son bureau et le théâtre, et celui entre le théâtre et l'appartement de Béatrice. Chacun connaît ces minuscules villages que crée la passion au sein des plus grandes villes. Tout de suite, Edouard se vit perdu. Il continua machinalement le même trajet. Mais comme la loge de Béatrice lui était interdite, il prit chaque soir une place au théâtre. Il écoutait la pièce d'une oreille distraite, attendait l'arrivée de Béatrice. Cette dernière jouait un rôle de soubrette spirituelle. Elle apparaissait au second acte et disait à un jeune homme venu chercher sa maîtresse avant l'heure :

« Vous le saurez, monsieur. Pour une femme, l'heure c'est souvent l'heure. Après l'heure c'est quelquefois encore l'heure. Mais avant l'heure, ce n'est jamais l'heure. »

Sans qu'il sût pourquoi, cette phrase insignifiante déchirait le cœur d'Edouard. Il l'attendait, il connaissait par cœur les trois répliques qui la précédaient et il fermait les yeux quand Béatrice la prononçait. Elle lui rappelait les temps heureux où Béatrice n'avait pas tous ces rendez-vous d'affaires, toutes ces migraines, tous ces déjeuners chez sa mère. Il n'osait pas se dire : « Le temps où Béatrice m'aimait. » Aussi inconscient qu'il ait pu être, il avait toujours senti qu'il était, lui, l'amant et elle l'objet aimé. Il en tirait une amère satisfaction qu'il osait à peine se formuler : « Elle ne pourra jamais me dire qu'elle ne m'aime plus. »

Bientôt, malgré de sérieuses économies sur ses déjeuners, il ne fut plus à même de s'offrir le moindre strapontin. Les rencontres avec Béatrice devenaient plus que rares. Il n'osait rien dire. Il avait peur. Et comme il ne savait pas feindre, ses entrevues avec elle étaient une série de questions muettes et passionnées qui dérangeaient sérieusement le moral de la jeune femme. Au reste Béatrice apprenait son rôle dans la prochaine pièce de Jolyau et elle ne voyait pour ainsi dire plus le visage d'Edouard. Pas plus d'ailleurs que celui de Jolyau, il faut le reconnaître. Elle avait un rôle, un vrai rôle, la glace de sa chambre était redevenue sa meilleure amie. Elle ne reflétait plus le long corps, la nuque inclinée d'un jeune homme châtain, mais l'héroïne passionnée d'un drame du XIXe siècle.

Edouard, pour tromper sa détresse et son désir du corps de Béatrice, se mit à marcher dans Paris. Il accomplissait dix ou quinze kilomètres par jour, offrait aux yeux des passantes un visage amaigri, absent, affamé, qui lui eût valu de nombreuses aventures s'il y eût pris garde. Mais il ne les voyait pas. Il cherchait à comprendre. A comprendre ce qui s'était passé, ce qu'il avait bien pu faire pour démériter de Béatrice. Il ne pouvait pas savoir qu'au contraire il la méritait trop et que cela non plus ne pardonne pas. Un soir, au bout de la détresse et, de plus, à jeun depuis deux jours, il arriva devant la porte des Maligrasse. Il entra. Il trouva son oncle sur un divan, feuilletant une revue de spectacles, ce qui l'étonna car Alain lisait plutôt la N.R.F. Ils échangèrent un double regard étonné, car ils étaient tous deux assez ravagés, sans savoir que c'était pour la même raison. Fanny entra, embrassa Edouard, s'étonna de sa mauvaise mine. Elle-même était au contraire rajeunie et plaisante. Elle avait décidé en effet d'ignorer la maladie d'Alain, de fréquenter les instituts de beauté et d'assurer à son mari une maison charmante. Elle savait bien que c'était une recette de magazine féminin mais, puisque l'intelligence ne semblait rien avoir à faire avec cette histoire, elle n'hésitait pas. La première colère passée, elle désirait seulement le bonheur, tout au moins la paix d'Alain.

« Mon petit Edouard, vous semblez fatigué. Est-ce votre travail aux Assurances ? Il faut vous soigner.

— J'ai très faim », avoua Edouard.

Fanny se mit à rire :

« Suivez-moi à la cuisine. Il reste du jambon et du fromage. »

Ils allaient sortir lorsque la voix d'Alain les arrêta. C'était une voix si neutre qu'elle en devenait chantante.

« Edouard, as-tu vu cette photo de Béatrice dans *Opéra* ? »

Edouard fit un bond, se pencha sur l'épaule de son oncle. C'était une photo de Béatrice en robe du soir : « La jeune Béatrice B. répète le principal rôle de la pièce de « Y » à l'Athéna. » Fanny regarda une seconde le dos de son mari, le dos de son neveu rapprochés et tendus vers le journal, puis elle tourna les talons. Elle se regarda dans la petite glace de la cuisine et dit à voix haute :

« Je m'énerve. Je m'énerve étrangement.

— Je sors, dit Alain.

— Vas-tu rentrer cette nuit ? demanda Fanny d'une voix douce.

— Je ne sais pas. »

Il ne la regardait pas, il ne la regardait plus. A présent il passait facilement les nuits à boire, avec la fille du bar de la Madeleine, et finissait dans sa chambre, en général sans la toucher. Elle lui racontait des histoires sur ses clients et il l'écoutait sans l'interrompre. Elle avait une chambre près de la gare Saint-Lazare et les volets donnaient sur un réverbère dont les rayons striaient le plafond. Quand il avait beaucoup bu, il s'endormait tout de suite. Il ignorait que Jolyau payait la fille pour lui, attribuait ses bontés à une affection qu'elle finissait d'ailleurs par ressentir pour cet homme si doux et bien élevé. Il s'interdisait de penser à Fanny dont la bonne humeur le rassurait vaguement.

« Il y a longuement que vous n'avez pas mangé ? »

Fanny regardait avec affection Edouard dévorer. Il leva les yeux vers elle et devant la chaleur de son regard se sentit débordant de reconnaissance. Il s'effondrait un peu. Il avait été trop seul, trop malheureux, Fanny était trop gentille. Il but précipitamment un verre de bière pour desserrer l'étau qui lui tenait la gorge.

« Deux jours, dit-il.

— Pas d'argent ? »

Il inclina la tête. Fanny s'indigna :

« Vous êtes fou, Edouard. Vous savez bien que la maison vous est ouverte. Venez quand vous voulez, sans attendre d'être au bord de la syncope. C'est ridicule.

— Oui, dit Edouard, je suis ridicule Je ne suis même que cela. »

La bière le grisait un peu. Pour la première fois, il songeait à se débarrasser de son encombrant amour. Il y avait autre chose dans la vie, il s'en rendait compte. L'amitié, l'affection, et surtout la compréhension de quelqu'un comme Fanny, cette merveilleuse femme que son oncle avait eu la sagesse, la chance d'épouser. Ils passèrent au salon. Fanny prit un tricot car, depuis un mois, elle tricotait. Le tricot est une des grandes ressources des femmes malheureuses. Edouard s'assit à ses pieds. Ils allumèrent un feu. Ils se sentaient mieux, l'un et l'autre.

« Racontez-moi ce qui ne va pas », dit Fanny au bout d'un moment.

Elle pensait bien qu'il allait lui parler de Béatrice mais elle finissait par éprouver une certaine curiosité pour cette dernière. Elle l'avait toujours trouvée belle, assez vivante, un peu sotte. Peut-être Edouard lui expliquerait-il son charme ? Encore qu'elle se doutât bien que ce n'était pas elle qu'Alain poursuivait, mais une idée.

« Vous savez que nous... enfin que Béatrice et moi... »

Edouard s'embrouillait. Elle eut un sourire complice et il rougit, en même temps qu'un déchirant regret le traversait. En effet, pour tous ces gens, il avait été l'heureux amant de Béatrice. Il ne l'était plus. Il commença son récit d'une voix hachée. A mesure qu'il tentait d'expliquer, de comprendre lui-même la cause de son malheur, ce dernier lui apparaissait plus clairement et il finit son récit la tête sur les genoux de Fanny, secoué de sortes de spasmes qui le délivraient. Fanny caressait ses cheveux, disait « mon pauvre petit » d'une voix chavirée. Elle fut déçue quand il releva la tête, car elle aimait la douceur de ses cheveux.

« Je vous demande pardon, dit Edouard d'une voix honteuse. Je suis si seul depuis si longtemps...

— Je sais ce que c'est, dit Fanny sans y penser.

— Alain... », commença Edouard.

Mais il s'arrêta, réfléchissant soudain à l'étrange attitude d'Alain et à sa disparition tout à l'heure. Fanny le crut au courant. Elle lui parla de la folie de son mari et ne s'aperçut que devant sa stupéfaction de l'ignorance d'Edouard. Stupéfaction assez offensante au demeurant. L'idée que son oncle pût aimer et désirer Béatrice pétrifiait Edouard. Il en prit conscience, pensa à la tristesse de Fanny, saisit sa main. Il était assis sur la chaise longue à ses genoux ; il était épuisé de chagrin. Il se laissa aller en avant, posa sa tête sur l'épaule de Fanny qui posa son tricot.

Il s'endormit un peu. Fanny éteignit la lumière pour faciliter son sommeil. Elle ne bougeait pas, respirait à peine, le souffle du jeune homme balayait régulièrement son cou. Elle était un peu troublée, essayait de ne pas penser.

Au bout d'une heure, Edouard se réveilla. Il était dans le noir, sur l'épaule d'une femme. Son premier geste fut un geste d'homme. Fanny le serra contre elle. Puis les gestes s'enchaînèrent. A l'aube, Edouard ouvrit les yeux. Il était dans un lit inconnu et à la hauteur de ses yeux, sur le drap, gisait une main vieille chargée de bagues. Il referma les yeux puis se leva et partit. Fanny fit semblant de dormir.

Josée téléphona à Bernard dès le lendemain. Elle lui dit qu'elle devait lui parler et il comprit aussitôt. Il avait d'ailleurs toujours compris, il s'en aperçut devant son propre calme. Il avait besoin d'elle, il l'aimait, mais elle ne l'aimait pas. Ces trois propositions renfermaient une suite de souffrances, de faiblesses et il lui faudrait longtemps pour y échapper. Les trois jours de Poitiers seraient le seul cadeau de cette année-là, le seul moment où, à force de bonheur, il aurait été un homme. Car le malheur n'apprend rien et les résignés sont laids.

Il pleuvait de plus belle, les gens disaient que ce n'était pas un printemps. Bernard marchait vers sa dernière entrevue avec Josée et en arrivant il la vit qui l'attendait. Et tout se déroula comme une scène qu'il aurait toujours connue.

Ils étaient sur un banc, il pleuvait sans cesse et ils étaient morts de fatigue. Elle lui disait qu'elle ne l'aimait pas, il répondait que ça ne faisait rien, et la pauvreté de leurs phrases leur faisait monter les larmes aux yeux. C'était sur un de ces bancs à la Concorde qui dominent la place et le flot incessant des voitures. Et les lumières de la ville y deviennent cruelles, comme les souvenirs d'enfance. Ils se tenaient les mains, et il inclinait vers le visage de Josée, débordé par la pluie, son propre visage débordé par la souffrance. Et c'étaient des baisers d'amants passionnés qu'ils échangeaient, car ils étaient deux exemples de la vie mal faite et ça leur était égal. Ils s'aimaient assez l'un l'autre. Et la cigarette trempée que Bernard essayait en vain d'allumer était à l'image de leur vie.

Parce qu'ils ne sauraient jamais, vraiment, être heureux et qu'ils le savaient déjà. Et, obscurément, ils savaient aussi que ça ne faisait rien. Mais rien.

Une semaine après la soirée passée avec Fanny, Edouard se trouva mis en demeure par une lettre d'huissier de payer son tailleur. Il avait dépensé ses derniers francs à envoyer des fleurs à Fanny, laquelle en avait, sans qu'il le sût, vaguement pleuré. Il ne restait à Edouard qu'une solution, mais à laquelle il avait déjà eu recours : Josée. Il passa chez elle, un samedi matin. Elle n'était pas là mais en revanche il trouva Jacques, plongé dans des livres de médecine. Celui-ci lui déclara que Josée serait là pour déjeuner et revint à ses études.

Edouard tourna en rond dans le salon désespéré à l'idée d'attendre. Son courage s'envolait. Déjà il cherchait un faux prétexte à sa visite. Jacques le rejoignit alors, lui jeta un coup d'œil vague et s'assit en face de lui, non sans lui proposer une gauloise. Le silence devint insupportable.

« Vous n'avez pas l'air gai », dit Jacques enfin.

Edouard hocha la tête. L'autre le regardait avec sympathie.

« Ce ne sont pas mes affaires, remarquez. Mais j'ai rarement vu quelqu'un avec l'air si embêté. »

On sentait que pour un peu il en aurait sifflé d'admiration. Edouard lui sourit. Jacques lui était sympathique. Il ne ressemblait pas aux petits jeunes gens de théâtre ni à Jolyau. Edouard se sentit redevenir un garçon.

« Les femmes, dit-il brièvement.

— Mon pauvre vieux ! » dit Jacques.

Il y eut un long silence plein de souvenirs de part et d'autre. Jacques toussa :

« Josée ? »

Edouard secoua la tête négativement. Il avait un peu envie d'impressionner l'interlocuteur :

« Non. Une actrice.

— Connais pas. »

Il ajouta :

« Ça ne doit pas être une espèce facile non plus.

— Ah ! non, dit Edouard.

— Je vais demander si on peut avoir un verre », dit Jacques.

Il se leva, donna au passage une tape amicale bien qu'un peu forte sur l'épaule d'Edouard et revint avec une bouteille de bordeaux. Quand Josée arriva, ils étaient tous deux très contents, se tutoyaient et parlaient des femmes avec un air dégagé.

« Bonjour, Edouard. Vous n'avez pas bonne mine. »

Elle aimait bien Edouard. Il avait cet air désarmé qui l'émouvait.

« Comment va Béatrice ? »

Jacques lui fit un grand signe qu'Edouard lui-même surprit. Ils se regardèrent tous les trois et Josée éclata de rire.

« Je pense que ça ne doit pas aller bien. Pourquoi ne déjeunez-vous pas avec nous ? »

Ils passèrent l'après-midi ensemble à se promener dans les bois tout en parlant de Béatrice. Edouard et Josée se donnaient le bras, prenant une allée après l'autre tandis que Jacques s'engageait dans les fourrés, lançait des pommes de pin, faisait l'homme des bois, non sans revenir de temps en temps déclarer que cette Béatrice méritait une bonne fessée, un point c'est tout. Josée riait et Edouard se sentait un peu consolé. Il finit par lui avouer qu'il avait besoin d'argent, elle lui dit ne pas s'inquiéter.

« Ce dont j'ai surtout besoin, je crois, dit Edouard en rougissant, c'est d'amis. »

Jacques, qui revenait à ce moment-là, lui dit que c'était fait, en tout cas pour lui. Josée renchérit. Dès lors ils passèrent leurs soirées ensemble. Ils se sentaient amicaux, jeunes et assez heureux.

Cependant, si la présence de Josée et de Jacques le réconfortait quotidiennement, elle le désespérait d'une autre manière. D'après le récit qu'il leur avait fait de ses dernières relations avec Béatrice, ils diagnostiquaient que tout était perdu pour lui. Or, il n'en était pas si sûr. Il voyait parfois Béatrice entre deux répétitions et, suivant les jours, elle l'embrassait tendrement, l'appelait « mon chou », ou ne le regardait pas et semblait excédée. Il décida d'en avoir le cœur net, encore que cette expression lui semblât bien fausse.

Il retrouva Béatrice dans un café, en face du théâtre. Elle était plus belle que jamais, parce que fatiguée, pâle, avec ce masque tragique et noble qu'il aimait tant. Elle était dans un de ses jours distraits et il aurait préféré un jour tendre, afin d'avoir une chance de plus de s'entendre répondre : « Mais si, je t'aime. » Néanmoins il se décida enfin à lui parler :

« La pièce marche bien ?

— Je vais devoir répéter tout l'été », dit-elle.

Elle était pressée de partir. Jolyau devait passer à la répétition. Elle ne savait toujours pas s'il l'aimait ou s'il avait envie d'elle, ou si elle n'était qu'une actrice à ses yeux.

« Il faut que je vous dise quelque chose », dit Edouard.

Il penchait la tête. Elle voyait la racine de ses cheveux si fins, qu'elle avait aimé caresser. Il lui était devenu complètement indifférent.

« Je vous aime, dit-il sans la regarder. Je crois que vous ne m'aimez pas, ou plus. »

Il eût passionnément désiré qu'elle le fixât sur ce point dont il doutait encore. Etait-il possible que ces nuits, ces soupirs, ces rires... ? Mais elle ne répondit pas. Elle regardait au-dessus de sa tête.

« Répondez-moi », dit-il enfin.

Cela ne pouvait durer. Qu'elle parle ! Il souffrait et machinalement se tordait les mains sous sa table. Elle sembla sortir d'un rêve. Elle pensait : « Quel ennui ! »

« Mon petit Edouard, il faudra que vous sachiez quelque chose. Je ne vous aime plus, en effet, encore que je vous aime beaucoup. Mais je vous ai beaucoup aimé. »

Elle nota en elle-même l'importance de la place du mot « beaucoup » dans les sentiments. Edouard releva la tête.

« Je ne vous crois pas », répondit-il tristement.

Ils se regardèrent dans les yeux. Ça ne leur était pas arrivé souvent. Elle eut envie de lui crier : « Non, je ne vous ai jamais aimé. Et alors ? Pourquoi vous aurais-je aimé ? Pourquoi faudrait-il aimer quelqu'un ? Croyez-vous que je n'aie que ça à faire ? » Elle pensa à la scène de théâtre, livide sous les projecteurs, ou sombre, et une bouffée de bonheur l'envahit.

« Bien, ne me croyez pas, reprit-elle. Mais je serai toujours pour vous une amie, quoi qu'il arrive. Vous êtes un être charmant, Edouard. »

Il l'interrompit, à voix basse :

« Mais la nuit...

— Qu'est-ce que ça veut dire : « La nuit » ? Vous... »

Elle s'interrompit. Il était parti déjà. Il marchait dans les rues comme un fou, il disait : « Béatrice, Béatrice », et il avait envie de se cogner aux murs. Il la haïssait, il l'aimait, et le souvenir de leur première nuit lui faisait manquer ses pas. Il marcha longtemps, puis arriva chez Josée. Elle le fit asseoir, lui donna un grand verre d'alcool, ne lui parla pas. Il s'endormit comme une pierre. A son réveil, Jacques était arrivé. Ils sortirent tous les trois, et rentrèrent tous les trois très ivres chez Josée où on l'installa dans la chambre d'ami. Il y demeura jusqu'à l'été. Il aimait encore Béatrice et, comme son oncle, lisait d'abord les journaux à la page Spectacles.

L'été tomba sur Paris, comme une pierre. Chacun suivait le cours souterrain de sa passion ou de ses habitudes et le soleil cru de juin leur fit lever une tête affolée de bête nocturne. Il fallait partir, trouver une suite ou un sens à cet hiver passé. Chacun découvrait cette liberté, cette solitude que donne l'approche des vacances, chacun se demandait avec qui et comment l'affronter. Seule Béatrice, retenue par ses répétitions, échappait, non sans plaintes, à ce problème. Quant à Alain Maligrasse, il buvait énormément et Béatrice n'était plus que le prétexte de son désarroi. Il avait pris l'habitude de dire : « J'ai un métier qui me plaît, une femme charmante, une vie agréable. Et alors ? » A cet « et alors » personne ne se sentait capable de répondre. Jolyau lui avait simplement signalé qu'il était un peu tard pour découvrir cette locution. Mais, bien sûr, il n'était jamais trop tard pour boire.

C'est ainsi qu'Alain Maligrasse découvrait une certaine forme de désarroi et des moyens pour y remédier que l'on voit plus souvent employer par les très jeunes hommes : les filles et l'alcool. C'est là l'ennui de ces grandes et précoces passions comme celle de la littérature ; elles finissent toujours par vous livrer à de plus petites, mais plus vivaces et plus dangereuses parce que tardives. Il s'y abandonnait avec un grand sentiment de confort comme s'il avait enfin trouvé le repos. Sa vie était une suite de nuits agitées, parce que son amie Jacqueline poussait la gentillesse jusqu'à lui faire des scènes de jalousie — qui le ravissaient —, et de journées comateuses. « Je suis comme l'étranger de Baudelaire, disait-il à Bernard atterré, je regarde les nuages, les merveilleux nuages. »

Bernard eût compris qu'il aimât cette fille, il ne comprenait pas qu'il aimât cette vie. De plus, il se mêlait à cela un vague sentiment d'envie. Il eût aimé boire aussi, oublier Josée. Mais il savait bien qu'il ne voulait pas s'évader. Un après-midi il alla voir Fanny pour une question pratique et s'étonna de sa minceur, de cet air armé qu'elle avait pris. Ils en vinrent naturellement à parler d'Alain car son alcoolisme n'était plus un secret pour personne. Bernard s'était chargé de son travail au bureau et la stupeur était encore trop grande pour que cet état de choses eût des conséquences.

« Que puis-je faire ? dit Bernard.

— Mais rien, dit Fanny tranquillement. Il y avait tout un côté de lui que j'ignorais, qu'il ignorait aussi sans doute. Je suppose que quand deux êtres vivent ensemble vingt ans en s'ignorant à ce point... »

Elle eut une petite grimace de chagrin qui bouleversa Bernard. Il lui prit la main et s'étonna de la vivacité avec laquelle elle la lui retira et de sa rougeur.

« Alain a une crise, dit-il. Ce n'est pas si grave...

— Tout a commencé avec Béatrice. Elle lui a fait comprendre que sa vie était vide... Oui, oui, je sais, dit-elle avec lassitude, je suis une bonne compagne. »

Bernard pensa aux récits passionnés d'Alain sur sa nouvelle vie : les détails, la signification qu'il prêtait à ces minables scènes du bar de la Madeleine. Il baisa la main de Fanny et partit. Dans l'escalier, il croisa Edouard qui venait voir Fanny. Ils n'avaient jamais reparlé de leur nuit. Elle l'avait simplement remercié d'une voix neutre pour les fleurs qu'il lui avait envoyées le lendemain. Seulement il s'asseyait à ses pieds et ils regardaient par la porte-fenêtre les violents soleils de juin descendre sur Paris. Ils parlaient de la vie, de la campagne, distraitement, tendrement et cela n'était pas sans accentuer chez Fanny cette impression nouvelle de fin du monde.

Edouard à ses pieds se laissait bercer par une douleur — qui devenait confuse — et une gêne assez violente pour qu'elle le ramenât aussi tous les trois jours auprès d'elle — comme pour vérifier qu'il ne lui avait pas fait de mal. C'est avec soulagement et une sorte de gaieté qu'il regagnait ensuite l'appartement de Josée. Il y trouvait Jacques, fou d'inquiétude à propos des examens qu'il venait de passer, et Josée, penchée sur des cartes, car ils devaient partir pour la Suède tous les trois à la fin juin.

Ils partirent à la date prévue. De leur côté les Maligrasse furent invités un mois à la campagne, chez des amis. Alain y passa ses jours à dénicher des bouteilles. Seul Bernard resta tout l'été à Paris, travaillant à son roman, tandis que Nicole se reposait chez ses parents. Quant à Béatrice, elle interrompit ses répétitions pour rejoindre sa mère au bord de la Méditerranée où elle fit quelques ravages. Paris vide résonnait du pas inlassable de Bernard. C'était sur ce banc qu'il avait embrassé Josée pour la dernière fois, c'était dans ce bar qu'il lui avait téléphoné cette nuit horrible où elle n'était pas seule, c'était là qu'il s'était arrêté, submergé par le bonheur, le soir de leur retour lorsqu'il croyait enfin tenir quelque chose... Son bureau était poussiéreux au soleil, il lisait beaucoup et des moments de grand calme se mêlaient étrangement à son obsession. Il marchait vers les ponts dorés avec ses regrets et déjà le souvenir de ces regrets. Poitiers pluvieux se levait souvent de cet éclatant Paris. Puis en septembre les autres revinrent ; il rencontra Josée au volant de sa voiture et elle se gara le long du trottoir pour lui parler. Il était accoudé à l'autre portière, il regardait son visage mince et hâlé sous la masse noire de ses cheveux et il pensait qu'il ne s'en remettrait jamais.

Oui, le voyage s'était bien passé, la Suède était belle. Edouard les avait jetés dans un fossé mais ça n'avait rien été car Jacques... Elle s'arrêtait. Il ne put retenir un mouvement de rage :

« Je vais vous paraître grossier. Mais je trouve que ces bonheurs tranquilles vous vont mal. »

Elle ne répondit pas, lui sourit tristement.

« Je vous demande pardon. Je suis mal placé pour parler du bonheur, tranquille ou pas. Et je n'oublie pas que je vous dois le seul de cette année... »

Elle posa sa main sur la sienne. Leurs mains avaient la même forme, celle de Bernard simplement plus grande. Ils le remarquèrent l'un et l'autre, sans rien dire. Elle partit et il rentra chez lui. Nicole était heureuse grâce à la gentillesse, au calme qu'il tirait de sa tristesse. C'était toujours ça.

« Béatrice. A vous. »

Béatrice sortit de l'ombre, arriva dans la zone éclatante de la scène, tendit le bras. « Ce n'est pas étonnant qu'elle soit si vide, pensa Jolyau brusquement. Elle a tout cet espace, tout ce silence à peupler tous les jours, on ne peut pas lui demander... »

« Dites donc... elle se débrouille. »

Le journaliste, à côté de lui, avait les yeux fixés sur Béatrice. C'étaient les dernières répétitions et Jolyau le savait déjà : Béatrice allait être la révélation de l'année, et peut-être, en plus, une grande actrice.

« Donnez-moi quelques renseignements sur elle.
— Elle vous les donnera elle-même, mon vieux. Je ne suis que le directeur de ce théâtre. »
Le journaliste sourit. Tout Paris croyait à leur liaison. Jolyau la sortait partout. Mais il attendait la générale, par goût du romanesque, avant de « légaliser » leurs relations, au grand dépit de Béatrice qui trouvait plus sain d'avoir un amant. S'il ne l'avait pas autant compromise, elle lui en eût voulu à mort.
« Comment l'avez-vous connue ?
— Elle vous le racontera. Elle raconte bien. »
Béatrice était en effet parfaite avec la presse. Elle répondait aux questions avec un mélange d'amabilité et de hauteur qui faisait très « dame du théâtre ». Par bonheur elle n'était pas encore connue, n'avait pas fait de cinéma, n'avait pas eu de scandale.
Elle venait vers eux, souriante. Jolyau les présenta l'un à l'autre.
« Je vous laisse; Béatrice, je vous attends au bar du théâtre. »
Il s'éloigna. Béatrice le suivit des yeux, d'un long regard destiné à révéler au

journaliste ce qu'il croyait déjà et se retourna enfin vers lui.

Une demi-heure plus tard elle rejoignit Jolyau qui buvait un gin-fizz, battit des mains devant ce choix judicieux et en commanda un également. Elle le but avec une paille, levant de temps en temps sur Jolyau ses grands yeux sombres.

Jolyau se sentait attendri. Qu'elle était gentille avec ses comédies, ses petites ambitions forcenées ! Que ce goût de la réussite était une chose drôle dans le grand cirque de l'existence ! Il se sentait l'esprit cosmique.

« Quelle vanité, chère Béatrice, tous nos efforts de ces jours-ci... »

Il commença un long discours. Il adorait cela ; il lui expliquait quelque chose pendant dix minutes, elle l'écoutait avec attention puis lui résumait son discours en une petite phrase merveilleusement sage et commune pour bien lui montrer qu'elle avait compris. « Après tout, si elle résume, c'est que c'est résumable. » Et comme chaque fois qu'il touchait du doigt sa propre médiocrité, une sorte de plaisir féroce l'envahit.

« C'est bien vrai, dit-elle, à la fin. Nous

ne sommes pas grand-chose. Heureusement que nous l'ignorons souvent. Ou nous ne ferions rien.

— C'est ça, exulta Jolyau. Vous êtes parfaite, Béatrice. »

Il lui baisa la main. Elle résolut de s'expliquer. La désirait-il ou était-il pédéraste ? Elle ne voyait pas d'autre alternative pour un homme.

« André, vous savez qu'il court des bruits fâcheux sur votre compte ? Je vous le dis en amie.

— Des bruits fâcheux sur quoi ?

— Sur — elle baissa la voix — sur vos mœurs. »

Il éclata de rire.

« Et vous les croyez ? Chère Béatrice, comment vous détromper ? »

Il se moquait d'elle, elle le comprit en une seconde. Ils se regardèrent fixement et il leva la main comme pour prévenir un éclat.

« Vous êtes très belle, et très désirable. J'espère qu'un jour prochain, vous me laisserez vous le dire plus longuement. »

Elle lui tendit la main par-dessus la table d'un geste royal et il y posa une bouche amusée. Décidément, il adorait son métier.

10

ET enfin, le soir de la générale arriva. Béatrice était debout dans sa loge ; elle regardait dans sa glace cette étrangère vêtue de brocart ; elle la regardait avec effarement. C'était elle qui allait décider de son destin. Déjà la sourde rumeur de la salle lui parvenait, mais elle se sentait glacée. Elle attendait le trac qui ne venait pas. Pourtant tous les bons comédiens l'ont, elle le savait. Mais elle ne pouvait que se regarder, immobile, se répétant machinalement la première phrase du rôle :

« Encore lui ! Ne suffit-il pas que j'aie obtenu sa grâce ?... »

Il ne se passait rien. Les mains un peu moites, une impression d'absurde. Elle avait lutté, pensé si longtemps à ce moment-là. Il fallait qu'elle réussît ; elle se ressaisit, redressa une mèche de cheveux.

« Vous êtes superbe ! »

Jolyau venait d'ouvrir la porte, souriant, dans son smoking. Il s'approcha d'elle :

« Quel dommage que nous ayons cette obligation. Je vous aurais bien emmenée danser. »

Cette obligation !... Par la porte ouverte la rumeur monta et elle comprit brusquement. « Ils » l'attendaient. Elle allait avoir tous leurs regards fixés sur elle, toutes ces mouches féroces, bavardes. Elle eut peur. Elle prit la main de Jolyau, la serra. C'était son complice mais il allait la laisser seule. Elle le haït un instant.

« Il faut descendre », dit-il.

Il avait conçu la première scène de telle sorte qu'au lever du rideau elle se présentait de dos au public. Elle devait être appuyée au piano, et ne se retourner qu'à la deuxième phrase de sa partenaire. Il savait pourquoi : il se trouverait lui-même derrière un portant et il verrait l'expression de son visage quand le rideau se lèverait derrière elle. Cela l'intéressait plus que le succès de la pièce. Qu'allait faire l'animal Béatrice ? Il l'installa devant le piano et prit son poste.

Les trois coups résonnèrent. Elle entendit le glissement du rideau. Elle regardait fixement un faux pli du napperon à l'autre bout du piano. A présent « ils » la voyaient. Elle avança la main, arrangea le pli. Puis quelqu'un d'autre qu'elle, lui sembla-t-il, se retourna :

« Encore lui ! Ne suffit-il pas que j'aie obtenu sa grâce ? »

C'était fini. Elle traversait la scène. Elle oubliait que l'acteur qui venait à sa rencontre était son ennemi juré, car il avait un rôle de la même importance que le sien ; elle oubliait qu'il était pédéraste. Elle allait l'aimer, il fallait lui plaire, il avait le visage de l'amour. Elle ne voyait même plus la masse sombre qui respirait à sa droite, elle vivait enfin.

Jolyau avait vu l'incident du napperon. Il eut une seconde l'intuition rapide que Béatrice le ferait souffrir un jour. Puis, à la fin du premier acte, sous les applaudissements, elle revint vers lui, intacte, armée jusqu'aux dents et il ne put s'empêcher de sourire.

C'était un triomphe. Josée était ravie, elle avait toujours eu une sympathie amusée pour Béatrice. Elle jeta un coup d'œil interrogateur à Edouard à sa droite. Il ne semblait pas particulièrement ému.

« J'aime décidément mieux le cinéma mais ce n'est pas mal », dit Jacques.

Elle lui sourit ; il prit sa main et elle qui détestait toute démonstration en public le laissa faire. Il y avait quinze jours qu'ils ne s'étaient vus car elle avait dû se rendre chez ses parents au Maroc. Il ne l'avait retrouvée que cet après-midi chez des amis, après son cours. Elle était assise devant une porte-fenêtre ouverte car il faisait doux et elle l'avait vu jeter son manteau dans l'entrée avant de se précipiter dans le salon. Elle n'avait pas bougé, elle avait simplement senti un sourire irrépressible se former sur sa bouche et il s'était arrêté en la voyant, avec le même sourire presque douloureux. Puis il était venu vers elle et, pendant qu'il faisait les trois pas qui les séparaient, elle avait su qu'elle l'aimait. Grand, un peu sot, violent. Et, tandis qu'il la prenait dans ses bras, rapidement à cause des tiers, elle avait passé la main dans ses cheveux roux, sans aucune autre pensée que : « Je l'aime, il m'aime, c'est incroyable. » Depuis elle respirait avec d'infinies précautions.

« Alain semble sur le point de s'endormir », dit Edouard.

Maligrasse en effet, venu tremblant au théâtre revoir Béatrice après ces trois mois, était resté de marbre. Cette belle étrangère qui s'agitait avec tant de talent sur la scène n'avait plus rien à voir avec lui. Il cherchait un moyen de rejoindre son bar après la chute du rideau. De plus il avait soif. Bernard avait eu l'intelligence de l'emmener boire un scotch au premier entracte, mais au second il n'osait bouger. Fanny ne broncherait pas mais il devinait sa pensée : d'ailleurs les lumières s'éteignaient à nouveau. Il soupira.

C'était merveilleux. Elle savait que c'était merveilleux. On le lui avait assez dit. Mais cette certitude ne lui servait à rien. Demain peut-être se réveillerait-elle avec ces mots à la bouche, avec la certitude d'être enfin Béatrice B... la révélation de l'année. Mais ce soir... Elle jeta un coup d'œil à Jolyau qui la ramenait chez elle. Il conduisait doucement, avec l'air de réfléchir.

« Que pensez-vous du succès ? »

Elle ne répondit pas. Le succès, c'était cette suite de regards curieux qu'elle avait rencontrés partout au cours du dîner qui avait suivi la générale, cette suite de phrases outrancières prononcées par des visages connus, cette suite de questions. C'était gagné, quelque chose était gagné, et elle s'étonnait un peu que la preuve en soit si dispersée.

Ils étaient arrivés en bas de chez elle.

« Je peux monter ? »

Jolyau lui ouvrait la portière. Elle était éperdue de fatigue mais elle n'osa refuser. Tout cela était sans doute logique mais elle n'arrivait pas à saisir le lien entre cette ambition, cette volonté qui ne lui laissaient aucun repos depuis sa prime jeunesse, et la soirée qui les couronnait.

De son lit, elle regardait Jolyau en bras de chemise marcher de long en large. Il discutait de la pièce. Ça lui ressemblait assez de s'intéresser au sujet d'une pièce après l'avoir choisie, montée et écouté répéter pendant trois mois.

« J'ai affreusement soif », dit-il enfin.

Elle lui indiqua la cuisine. Elle le regarda sortir, un peu étroit d'épaules, un peu trop vif. Elle revit un instant le long corps sinueux d'Edouard et elle le regretta. Elle aurait voulu qu'il fût là, qu'il y eût n'importe qui de très jeune pour s'extasier sur cette soirée ou pour en rire avec elle comme d'une énorme farce. Quelqu'un qui eût redonné vie à tout cela. Mais il n'y avait que Jolyau et ses commentaires ironiques. Et il allait falloir passer la nuit avec lui. Ses yeux se remplirent de larmes, elle se sentit faible soudain et très jeune. Les larmes giclaient, elle se répétait vaguement que tout cela était merveilleux. Jolyau revint. Heureusement Béatrice savait pleurer sans se défigurer.

Au milieu de la nuit, elle se réveilla. Le souvenir de la générale lui revint aussitôt. Mais elle ne pensait plus à son succès. Elle pensait aux trois minutes où le rideau s'était levé, où elle s'était retournée, où elle avait dépassé quelque chose de considérable par ce simple mouvement de son corps. Ces trois minutes seraient à elle tous les soirs, à présent. Et elle devinait déjà confusément que ce seraient les seules minutes vraies de toute son existence, que c'était là son lot. Elle se rendormit paisiblement.

11

LE lundi suivant, les Maligrasse donnèrent une de leurs habituelles soirées, la première depuis le printemps. Bernard et Nicole, Béatrice triomphalement modeste, Edouard, Jacques, Josée, etc. s'y rendirent. C'était une soirée fort gaie. Alain Maligrasse titubait un peu, mais personne n'y prêtait attention.

A un moment, Bernard se retrouva près de Josée contre un mur où ils s'appuyèrent en regardant les autres.

Comme il lui posait une question, elle lui désigna du menton le jeune musicien protégé de Fanny qui se mettait au piano et commençait à jouer.

« Je connais cette musique, chuchota Josée, c'est très beau.

— C'est la même que l'année dernière. Vous vous rappelez, nous étions là, les mêmes, et il jouait le même morceau. Il n'a pas dû avoir d'autre idée. Nous non plus, d'ailleurs. »

Elle ne répondit pas.

Elle regardait Jacques, à l'autre bout du salon.

Bernard suivit son regard.

« Un jour vous ne l'aimerez plus, dit-il doucement, et un jour je ne vous aimerai sans doute plus non plus.

« Et nous serons à nouveau seuls et ce sera pareil. Et il y aura une autre année de passée...

— Je le sais », dit-elle.

Et dans l'ombre elle lui prit la main et la serra un instant sans détourner les yeux vers lui.

« Josée, dit-il, ce n'est pas possible. Qu'avons-nous fait tous ?... Que s'est-il passé ? Qu'est-ce que tout cela veut dire ?

— Il ne faut pas commencer à penser de cette manière, dit-elle tendrement, c'est à devenir fou. »

Imprimé en France par CPI
en août 2016
N° d'impression : 2024822

POCKET - 12, avenue d'Italie - 75627 Paris Cedex 13

Dépôt légal : avril 2009
Suite du premier tirage : août 2016
S19000/04